AMÉRICA LATINA

Jacqueline Covo

AMÉRICA LATINA

Traducción de
Domingo del Campo Castel

ACENTO
EDITORIAL

Primera edición: septiembre 1995
Segunda edición: junio 1996
Tercera edición: julio 1997

Diseño de cubierta: *Alfonso Ruano/César Escolar*

Título original: *Introduction aux civilisations latinoaméricaines*
© 1993 by Éditions NATHAN, París
© Acento Editorial, 1995
   Joaquín Turina, 39 - 28044 Madrid

Comercializa: CESMA, SA - Aguacate, 43 - 28044 Madrid

ISBN: 84-483-0056-4
Depósito legal: M-24679-1997
Fotocomposición: Grafilia, SL
Impreso en España/Printed in Spain
Huertas Industrias Gráficas, SA
Camino Viejo de Getafe, 55 - Fuenlabrada (Madrid)

ÍNDICE

INTRODUCCIÓN

Europa ha hecho de 1992 una fecha simbólica de sus relaciones con la llamada América Latina: la conmemoración del quinto centenario de la llegada de Cristóbal Colón a las costas americanas recuerda que, a partir de 1492, todo el continente quedó integrado en el sistema de vida y pensamiento occidentales, lo que resume el título del libro de Alain Rouquié: *América Latina: Introducción al Extremo Occidente.* Pero la concesión, en octubre del mismo año, del Premio Nobel de la Paz a la guatemalteca Rigoberta Menchú —y, a través de ella, a todas las minorías indias del continente— recuerda que el proceso de occidentalización no fue —y sigue sin serlo— ni armonioso ni integral, y al mismo tiempo pone en tela de juicio la supuesta unidad de América Latina.

Ésta es la orientación que deseamos dar a esta obra; nos gustaría extraer los rasgos unitarios dominantes que determinan el carácter específico del subcontinente: cinco siglos después de que las carabelas de Cristóbal Colón abrieran territorios nuevos a la curiosidad interesada de Occidente, 400 millones de personas, a la vez exóticas e impregnadas de nuestra civilización, hablan lenguas de origen latino; han aprendido a pensar a partir de esquemas que también forman parte de nuestra herencia, y mantienen con el mundo occidental —incluso a pesar de que éste mire en la actualidad más bien a otra parte— relaciones económicas y culturales privilegiadas. Pero también es necesario tener en cuenta el crecimiento cultural y los bloqueos sociopolíticos que ha producido el «encuentro» o el «encontronazo», según se mire, de 1492.

El estudiante dispone de pocas obras de síntesis que le permitan abarcar un subcontinente complejo. Historiadores, sociólogos, economistas y politólogos le ofrecen, sin embargo, análisis especializados, rigurosos y documentados. Pero el ámbito latinoamericano, en su esplendor y diversidad, exige quizá ante todo un planteamiento de conjunto donde luego puedan apoyarse los análisis particularizados.

Ésta es la perspectiva que proponemos aquí. No se trata de un libro de historia —aunque, en cada etapa, la historia es indispensable para captar el encadenamiento de los fenómenos—. Nuestro propósito es examinar el conjunto subcontinental de este final del siglo XX, en su unidad y su diversidad, accesible a la comprensión del estudiante: a veces, perdido en el laberinto de las «veinte

Américas Latinas» [1], necesita señales que le permitan ordenar, jerarquizar, articular entre ellas fenómenos y datos.

Pretendemos, pues, no tanto comunicar unos conocimientos como orientar la reflexión y la investigación. Los hechos o acontecimientos que aquí se vayan exponiendo servirán como ejemplos, significativos pero no exhaustivos. Es conveniente también, en lo posible, evitar tanto el etnocentrismo condescendiente como la militancia apasionada, en beneficio de la coherencia explicativa: los elementos de la historia propios del subcontinente deberían permitirnos separar las características étnicas y culturales de las sociedades actuales, poner en evidencia las graves dificultades económicas y sociales y su articulación con las disfunciones políticas para esclarecer estas perspectivas una a una. También deseamos estimular la atención y la curiosidad del estudiante, animarle a enriquecerlas con lecturas complementarias que la bibliografía anexa se propone orientar.

Y más allá de su aspecto utilitario, este libro quisiera sugerir que este «mundo» descubierto por Cristóbal Colón no nos es completamente ajeno, y que comprenderlo es también comprender el nuestro.

---

[1] Marcel Niedergang, *Las Veinte Américas Latinas*, Seuil, 1969 (2.ª edición).

1. ¿QUÉ ES AMÉRICA LATINA?

1. Diversidad

El plural de la expresión «las civilizaciones latinoamericanas» pone de manifiesto la dificultad, si no de delimitar, sí al menos de justificar la contemplación de un conjunto denominado América Latina. ¿Qué es América Latina? ¿Qué características comunes permiten poner en la misma categoría lo que, hace poco, el periodista Marcel Niedergang ha denominado las «veinte Américas Latinas»?

1.1. Desde el punto de vista geográfico

Los mapas geográficos muestran de entrada que se agrupan bajo este término la mayor parte de las naciones situadas entre Río Grande —que en el hemisferio norte separa Estados Unidos de México— y la Patagonia, cerca del círculo austral. No obstante, incluso si los geógrafos señalan que la configuración continental coloca la mayor parte del conjunto bajo la influencia climática de los trópicos, su extensión de más de 9.000 kilómetros, entre el paralelo 32 norte y el 56 sur, y su variada morfología —de las exuberantes costas antillanas a las cimas andinas, de las sabanas venezolanas a los desiertos costeros peruanos— dan lugar a una diversidad regional que desmiente toda unidad geográfica.

1.2. Desde el punto de vista étnico, sociológico y político

Los elementos étnicos no son tampoco más homogéneos: a pesar de la exaltación por el mexicano Vasconcelos, por ejemplo, en 1925, de la *raza cósmica* que podría encarnar el mestizo, el examen de fotografías de escolares argentinos, mexicanos y cubanos revela una disparidad física probablemente más acentuada en América Latina que en Asia o en África. Volvemos a encontrar esta misma disparidad en el plano sociológico, ya que en todas partes surgen grupos humanos cuya modernidad no tiene nada que envidiar a la de las sociedades occidentales desarrolladas sin que, globalmente, América Latina haya podido erradicar todavía formas de vida que evocan, por su arcaísmo, ciertas zonas rurales africanas o asiáticas. Por último, desde un punto de vista político, las tentativas de unificación fracasadas desde el congreso de Panamá, convocado por el Libertador Simón Bolívar en 1826, hasta los esfuerzos de integración actuales, no disimulan una fragmentación que a veces puede desembocar en conflictos armados interregionales.

2. Unidad

2.1. América Latina «versus» América anglosajona

Es, pues, en otra parte donde debe buscarse lo que aglutina una América Latina; el adjetivo «latino» induce a considerarla como una unidad cultural que una historia común ha dotado de rasgos comunes. Se sabe que, con África y parte de Asia, el subcontinente latinoamericano forma parte de las regiones que los organismos internacionales y la prensa han reagrupado bajo los términos sucesivos de países subdesarrollados, países en vías de desarrollo, Tercer Mundo o, en la actualidad, de forma aún menos precisa, el Sur. La mayor parte de estos países tienen en común haber sido colonizados por las grandes potencias occidentales.

La colonización de la América llamada Latina, la más antigua, fue la llevada a cabo por España —la de Brasil, por Portugal— aprovechando la ruta abierta por Cristóbal Colón, de Florida a Chile. Si las exploraciones de América del Norte se realizaron poco después, su colonización no comenzó de hecho hasta los inicios del siglo XVII con los emigrantes ingleses del *Mayflower*, y en un contexto diferente. La historia de la colonización forjó así dos Américas: una al Norte, anglosajona; otra culturalmente ibérica, vale decir latina.

La mayoría de los historiadores siguen los análisis del ensayista peruano de principios de este siglo José Carlos Mariátegui, para señalar cómo estos dos procesos de colonización han marcado profundamente los dos subcontinentes con el sello de sus culturas de origen: al norte, los primeros colonos ingleses eran en su mayoría familias puritanas perseguidas por motivos religiosos; decididas a construir una sociedad nueva, pudieron, gracias a su dinamismo, su ética del trabajo, sus aportaciones de capital, establecer asentamientos basados en una agricultura de plantación autosuficiente que empujaba siempre más lejos hacia el oeste, hasta la reserva o el exterminio, a los pueblos autóctonos irreductibles a sus formas de vida.

En la América ibérica fue distinto: lejos de desarrollar el espíritu de empresa, la Reconquista española territorial y religiosa mantuvo un espíritu de cruzada medieval que los conquistadores llevaron con ellos al Nuevo Mundo; la hazaña militar y la conversión de los indígenas gozaban de mayor prestigio que la agricultura, y, por otro lado, el descubrimiento de metales preciosos, es decir, dinero, parecía poder financiar estas conquistas respondiendo al mismo tiempo a las ambiciones individuales de los colonos. La población autóctona representaba entonces una reserva indispensable de mano de obra para la agricultura y, sobre todo, para el trabajo en las minas; las mujeres indígenas debían también satisfacer las necesidades sexuales de los conquistadores.

Si las colonias inglesas del norte se esforzaron, pues, por crear una sociedad nueva, tan alejada de Inglaterra como de los primeros pobladores, en el centro y en el sur la colonización se propuso trasladar e incorporar los elementos de la *cultura ibérica* al suelo autóctono, reproduciendo instituciones, formas de pensar y costumbres, y esforzándose hasta cierto punto en imponer a las poblaciones indígenas esta camisa de fuerza, sesgadamente a través del trabajo forzado y la evangelización.

Étnicamente se conoce el resultado del doble proceso: según la fórmula expeditiva, al Norte, «el mejor indio es el indio muerto»; en toda América Latina, los descendientes de los pueblos indígenas también han protestado contra la celebración del quinto centenario de 1492, denunciando el genocidio del que fueron víctimas sus antepasados. Es cierto que historiadores y demógrafos han puesto en evidencia una caída demográfica brutal en el siglo XVI: en las Antillas, la población indígena fue aniquilada en una generación; en México, según los norteamericanos Borah y Cook, habría pasado de 25 u 11 millones antes de 1519, según las estimaciones, a 1.375.000 en 1595. Las causas fueron, desde luego, las guerras de conquista, pero también el régimen de trabajo impuesto, y sobre todo, según se cree hoy, la desestabilización de las sociedades y las culturas y la acción de infecciones microbianas contra las cuales los indios no disponían de anticuerpos. Pero la necesidad que tenían los colonos de mano de obra descarta la idea de que su desaparición fuese deliberadamente programada.

En cambio, los debates que ha originado la celebración del quinto centenario han inducido a muchos intelectuales latinoamericanos a reivindicar una *identidad mestiza,* cultural antes que biológica, pero fecunda en repercusiones, y a rehabilitar así el proceso que la ha hecho posible, el encuentro de dos mundos, que, según ellos, alumbra la especificidad de América Latina. Es por tanto la historia, la organización de los asentamientos de la colonización material y cultural, lo que a escala del subcontinente ha dotado de un cierto número de características comunes a la América llamada Latina.

2.2. Topónimos

La expresión «América Latina» recuerda la colonización y es mal entendida por los interesados que no se reconocen en ella; además es reciente y está marcada políticamente. Pero después de su «descubrimiento», el continente no ha dejado de ser despojado de su propia identidad por la mirada etnocentrista de los europeos, que no le han dado nombre más que para reducirlo a ellos mismos.

La intención de Colón de llegar a Asia por el oeste perpetuó el error geográfico, utilizándose durante mucho tiempo la expresión «las Indias» o «Indias Occidentales», y haciendo así de sus primeros habitantes los indios. La perspectiva geográfica del conquistador español le llevó a bautizarla *Ultramar,* pero también se esforzó en reproducir España a través de la toponimia: Nueva España, Nueva Galicia, Nueva Granada y muchas de las ciudades coloniales del subcontinente recibieron nombres de ciudades españolas. Las utopías que en el siglo XVI soñaban con construir más allá del Atlántico sociedades perfectas alumbran el «Nuevo Mundo», especie de «tabla rasa» en la que todo parecía poder crearse por una Europa que de esa forma abolía civilizaciones originales, fascinadas por los conquistadores en el momento mismo de aniquilarlas. Cuando por fin se impuso un nombre propio, fue el de un navegante florentino de segunda fila, Américo Vespucio, quien hacia 1500 llegó al sur del continente y, sobre todo, tuvo el mérito de comprender y de ser el primero en escribir que esas tierras no eran Asia, sino un mundo nuevo —para los europeos, por supuesto.

Después del siglo de las independencias, se sucedieron diferentes denominaciones, a merced de las preocupaciones políticas [1]; los latinoamericanos se confrontaban a veces con los Estados Unidos del Norte, que comenzaban a monopolizar el nombre de «América»: «Nuestra América» decía el patriota cubano José Martí, y más tarde las expresiones «Indoamérica», incluso «Indo-Afro-Iberoamérica», pretendieron abarcar todas las dimensiones etnoculturales del subcontinente. Con todo, en el exterior, los términos más utilizados siguieron siendo los que reflejaban la relación original con los pueblos colonizadores: «Hispanoamérica», nacido del interés de España por mantener los lazos con sus antiguas posesiones; «Iberoamérica», noción más amplia ya que engloba la herencia portuguesa que es el Brasil; por último, «América Latina».

Así pues, «América Latina» debía imponerse. El concepto, surgido de una voluntad de unificación, se generalizó en Francia, en el entorno de Napoleón III, hacia 1860. Se trataba así de demostrar un parentesco de las naciones latinas y católicas en el contexto de una lucha de influencias contra el creciente poder de los Estados Unidos de América del Norte, lucha que también debía provocar la desastrosa intervención francesa en México. Más tarde se recuperó este término, y se impuso, especialmente en la actualidad, en los grandes foros internacionales. Aunque poco satisfactoria por todo lo que excluye, expresa al mismo tiempo la necesidad de una integración continental, una herencia cultural fruto de la historia.

2.3. Historia

Pero esta historia, hay que recordarlo, es muy anterior al «encuentro» con los europeos. Había producido, de forma autónoma y relativamente compartimentadas por la orografía, civilizaciones que habían sabido proporcionar respuestas inteligentes a las necesidades geográficas y climáticas: cultivo del maíz, medida del tiempo por medio de calendarios perfeccionados, organización social, grandes obras, sistemas de escritura más o menos elaborados, cosmogonías... Aunque la población del continente, llegada de Asia a través de Alaska en la época de la última glaciación, era reciente, algunas de estas civilizaciones habían alcanzado un extraordinario nivel de desarrollo; prueba de ello son los innumerables vestigios arqueológicos que hacen las delicias de los turistas de hoy y maravillaron ya a los cronistas conquistadores. Las últimas de estas civilizaciones, ya decadentes en el siglo XV, la de los aztecas en la planicie mexicana o la de los incas de los Andes, no eran, sin embargo, las más maduras.

Después de 1492, el continente, hasta entonces aislado, entró en contacto con Occidente, y fue incorporado, por medio de la colonización española y portuguesa, al amplio sistema económico que, en el alba de los tiempos modernos, se abría camino. De hecho lo dinamizó: los metales preciosos americanos iban a estimular los intercambios y la producción en Europa y a enriquecer no tanto a España como a las potencias europeas rivales que supieron aprovecharse de su comercio

---

[1] Miguel Rojas Mix, *Los cien nombres de América*, Barcelona, Ed. Lumen, 1991.

para desarrollar una naciente industria.

Sin embargo, América permanecía fuera de ese proceso, ya que el sistema colonial centraba la producción de acuerdo con las necesidades de las metrópolis, manteniendo un rígido control administrativo e intelectual que bloqueaba toda iniciativa y obstaculizaba la comunicación entre las diversas regiones. La América ibérica, aunque recibía de la Península sus estructuras materiales y mentales, no podía desarrollarlas; permanecía, en lo esencial, al margen de los progresos de Occidente: el desarrollo de la economía de mercado, la naciente «revolución industrial», la evolución del pensamiento político y religioso apenas se notaron. En realidad, estos tres siglos de estancamiento hipotecarían gravemente su futuro. Durante el segundo decenio del siglo XIX, la mayoría de las colonias españolas de América rompieron sus lazos con la metrópoli —sin embargo, Cuba, de especial interés para España pero también para los Estados Unidos, tan próximos, y Puerto Rico fueron una excepción—. Los artífices de estas independencias fueron en su mayoría los *criollos*, es decir, descendientes de colonos españoles, nacidos en tierras americanas y tanto más conscientes de sus raíces por cuanto el sistema colonial los apartaba de los órganos de poder en beneficio de administradores venidos de la Península. Brasil, por su parte, se separó de Portugal pacíficamente. La independencia fue, pues, en principio, la recuperación del poder por las élites locales y, para las más lúcidas, la voluntad de dotar a sus países de una capa-

cidad de decisión, de un derecho a organizarse de forma autónoma teniendo en cuenta el bien público; pero no fue una revolución social ni siquiera en México, donde los sacerdotes Hidalgo y Morelos se apoyaron en tropas populares. La herencia de este nacimiento difícil pesó en la evolución de las jóvenes repúblicas; en primer lugar, la independencia confirmó una organización social piramidal muy jerarquizada y llena de frustraciones: la historia del siglo XIX, marcada por sublevaciones, *cuartelazos* y guerras civiles, es la prueba; luego las jóvenes naciones hispánicas no pudieron borrar la fragmentación regional que había establecido la metrópoli ni unirse para enfrentarse a la cohesión amenazadora de los Estados Unidos del Norte; por fin, cuando consiguieron liberarse de la tutela española, no supieron contener los avances interesados de las grandes potencias —Gran Bretaña primero; luego, sobre todo, Estados Unidos— que a través de préstamos, concesiones e inversiones lograron implantar una nueva forma de colonización económica.

Esta nueva dependencia se institucionalizó a finales del siglo XIX y principios del XX, gracias al apoyo de las minorías locales beneficiarias de todo ello. Pero bajo la presión de embriones de burguesías nacionalistas y mayorías sacrificadas, las explosiones sociales y las tentativas de recuperación de autonomía y democracia —la gran revolución mexicana de 1910 es el ejemplo más espectacular— alternaban con dictaduras autoritarias sostenidas, si era necesario, por expediciones militares[2]. Invocan-

---

[2] Cf. Cronología en el anexo.

do como instrumento de legitimación la famosa doctrina de Monroe que databa de 1824 («América para los americanos»), los Estados Unidos multiplicaron el «gran garrote» de las intervenciones armadas para proteger sus intereses en su esfera de influencia. Después de la Segunda Guerra Mundial, el contexto de guerra fría radicalizó el proceso en nombre de la lucha contra el «comunismo» que condenaba toda reforma interna, en especial nacionalizaciones o reformas agrarias, como en Guatemala en 1954.

Sin embargo, la revolución cubana, en 1959, cogió desprevenido a Estados Unidos e implantó de forma estable, a poca distancia de sus costas, un centro antiimperialista que moralizó la isla al recuperar la riqueza nacional y desarrollar un sistema sanitario y de educación sin parangón en América Latina, a pesar del embargo económico, con la ayuda de la Unión Soviética.

Estados Unidos no consiguió recuperar el control de la situación y, creyendo que su preponderancia en el continente estaba amenazada por las tentativas cubanas de exportar la revolución para su mejor consolidación, reaccionó con dos estrategias opuestas y complementarias: de un lado, la Alianza para el Progreso, puesta en marcha por el presidente Kennedy en 1961, preveía planes de desarrollo para socavar las bases de las guerrillas que se multiplicaban en el continente; por otra parte, una política antisubversiva condujo a instalar dictaduras que garantizasen el orden y la estabilidad. En los países pequeños muy subdesarrollados de América Central y del Caribe, cuya proximidad geográfica los convertía en muy importantes para los intereses norteamericanos, esos «gobiernos de facto» adoptaron frecuentemente la forma de prolongadas dictaduras personales, arcaicas, incluso hereditarias (los Somoza en Nicaragua, los Duvalier en Haití). En los países más desarrollados, donde había podido surgir una conciencia nacional, llegaron al poder los regímenes más progresistas y la presión popular con su exigencia de democracia cambió de nuevo la balanza y, en los años 70, hizo caer uno después de otro a los países de América del Sur bajo dictaduras militares que aplastaron cruelmente la «subversión». El caso de Chile, en el que el gobierno socialista elegido de Salvador Allende fue brutalmente derribado por el ejército en 1973, es de sobra conocido. Sin embargo, una después de otra, estas dictaduras, desbordadas por la presión nacional e internacional, e incapaces de hacer frente a la creciente crisis económica, abandonaron a su vez la escena a comienzos de los años 80. Como se verá, desde entonces, todo el continente, presa de una situación interna crítica a la cual este gravoso contencioso no es ajeno, busca soluciones de recambio. Desde comienzos de los años 90 confía en encontrarla en una apertura al exterior libremente asumida. El tiempo dirá si ahí está su futuro.

2. AMÉRICA LATINA Y SUS HABITANTES

Al hilo de la historia, llegaron al continente sucesivas oleadas migratorias que progresivamente han configurado las poblaciones latinoamericanas actuales, con sus características demográficas y étnicas y su distribución a través de la inmensidad del territorio.

1. Algunos elementos demográficos

Los datos estadísticos referentes a las veinte naciones latinas de América en 1990 dan la cifra global de 438 millones de personas (ver cuadro 1 en el anexo), a lo que debería añadirse la población de origen ibérico diseminada en Estados Unidos, estimada en alrededor de 20 millones de personas.

En 1974, bajo los auspicios de la Oganización de las Naciones Unidas, tuvo lugar en Bucarest la primera Conferencia Internacional sobre Población, que llamó la atención sobre el contraste radical entre los países occidentales y la mayoría de los países del «Tercer Mundo»: los primeros, alarmados ante la «explosión demográfica» que observaban en los segundos, reclamaron para frenarla un estricto control de natalidad; mientras, América Latina, con el Tercer Mundo, indignada ante una postura que juzgaba maltusiana, reivindicó su de-

recho a reforzar su peso específico en el mundo, y frente a sus vecinos, por medio de la población. El problema, para los países llamados «en vías de desarrollo», era menos demográfico que económico; para ellos, sólo el crecimiento económico y un reparto equitativo de la riqueza asegurando un mejor nivel de vida llegarían a reducir las tasas de natalidad: «El mejor anticonceptivo es el desarrollo» (Le Monde, 12 de agosto de 1984).

Pero la lentitud de este proceso de desarrollo, unida a las consecuencias de la crisis económica, han obligado a estos países a admitir el descenso de las tasas de natalidad con políticas de limitación de nacimientos; esta nueva postura se reafirmó en la segunda Conferencia Internacional sobre Población, que tuvo lugar en México en 1984. Ya el mismo México se había puesto como objetivo reducir su crecimiento demográfico anual muy elevado (3,2 % en 1974) al 1 % a finales de este siglo (de 2,6 % en 75-80, ha pasado a 2,2 % en 85-90), y en el conjunto del continente la fecundidad —es decir, el número medio de hijos por mujer en edad de procrear— y el ritmo anual de crecimiento de la población comenzaron a bajar de forma significativa (ver cuadro 2 en el anexo).

1.1. Las tasas de crecimiento demográfico

Sin duda ahí se encuentra el verdadero problema: las densidades medias (número de habitantes por km²) parecen indicar que América Latina no está superpoblada en el sentido estricto del término; incluso hay territorios poco poblados si se los compara con Europa (ver cuadro 1 en el anexo); sin embargo, la población global se ha triplicado en dos generaciones, y este crecimiento demográfico más rápido que el aumento de la riqueza compromete el incremento de los niveles de vida en las mismas proporciones. Paradójicamente, la mejora relativa de las estructuras sanitarias y de ciertos indicadores sociales en la mayoría de los países —reducción de la mortalidad general y de la infantil en particular— contribuye a mantener tasas elevadas de crecimiento demográfico.

Obstáculos de orden cultural frenan igualmente esta limitación de nacimientos, incluso aunque se lancen campañas de información, como la bautizada en México «Paternidad responsable»: en un continente mayoritariamente católico, la negativa del Vaticano a admitir cualquier método anticonceptivo que no sea el «natural» es un poderoso obstáculo en la política de limitación de nacimientos; por otra parte, aun cuando las mentalidades evolucionen rápidamente, el concepto que todavía no hace mucho la mayoría de los hombres tenían de su virilidad —el famoso *machismo*— ha favorecido las familias numerosas, legítimas o ilegítimas. Esta actitud tiende a desaparecer, pero en ciertas zonas rurales aisladas, la ignorancia, la fuerza de las tradiciones, así como la lejanía de centros de salud, frenan todavía el descenso de la natalidad.

Pero el más importante de estos obstáculos es la ausencia o la insuficiencia de medidas de protección social: ante el aumento del paro y del subempleo, la precariedad o la inexistencia de sistemas de pensiones y de seguridad social, el niño está considerado, en sociedades todavía muy unidas por la solidaridad familiar, como una fuerza de trabajo subsidiaria y un seguro contra un porvenir incierto. De esta forma, la población latinoamericana es mayoritariamente joven: la esperanza de vida, más reducida que en los países industrializados (en España es de más de 76 años), oscila entre 62 y 72 años, pero depende de los niveles de vida; si en Bolivia no es más que de 53, y 57 en Haití, países muy pobres, sobrepasa los 74 en Costa Rica y en Cuba. Así, son poco frecuentes las personas de más de 60 años; por el contrario, los menores de 15 (que son el 20 % de la población española) constituyen en América Latina una proporción que va del 30 % a más del 45 % de la población total (ver cuadros 1 y 2 en el anexo). El viajero por América Latina se sorprende de la omnipresencia del niño en la vida de la calle.

Esta característica es, desde luego, una manifestación de vitalidad, una promesa de futuro; pero esta juventud no podrá a su vez ser productiva sin las estructuras materiales indispensables para alcanzar su completo desarrollo: vivienda, salud, educación, además de empleo. La dificultad de satisfacer estas necesidades restringe gravemente las posibilidades de desarrollo de los individuos y de las colectividades a las que pertenecen. Así pues, el problema demográfico, en

América Latina, reside no tanto en el volumen de población como en un crecimiento todavía demasiado rápido.

1.2. Los desequilibrios demográficos

Por otra parte, los cuadros estadísticos muestran situaciones muy cambiantes que crean profundos desequilibrios demográficos.

La configuración geográfica del continente es el primer factor que lo explica: se despliega a una escala cuya amplitud ha sorprendido a todos los viajeros europeos. El subcontinente latinoamericano, más extenso que Europa y África juntas o que Estados Unidos y Canadá (20 millones de km², es decir, el 16 % de la superficie de tierra firme), tiene algunos de los ríos más grandes del mundo (el Amazonas, el Orinoco, el Paraguay); sistemas montañosos entre los más elevados del planeta (el Chimborazo en Ecuador, de 6.257 metros, y el Aconcagua en Chile, que llega casi a los 7.000 metros); grandes desiertos al norte de México o en la Tierra del Fuego; una selva, la Amazonia, considerada todavía «el pulmón del mundo», pero casi deshabitada. Elementos naturales desmesurados, de los cuales algunos son fuentes de riqueza, pero que el hombre no ha podido dominar totalmente, como demuestran los ciclones, terremotos o erupciones volcánicas. Esta compleja morfología, en la que las comunicaciones eran difíciles antes de la época de la aviación, explica la existencia de inmensos espacios poco poblados, en especial en el interior del continente: las vastas *pampas* y las desoladas regiones australes de la Patagonia explican en parte que la densidad media de

Argentina no sobrepase los 11,5 habitantes por km². Por el contrario, en otras regiones más propicias y habitables, caso de algunas costas, se ha podido implantar un tejido social más denso.

Porque la historia, la de la colonización y la explotación del territorio, al determinar grandes corrientes migratorias a partir de finales del siglo XV y hasta el presente, ha jugado igualmente un importante papel en la formación de asentamientos humanos delimitados geográficamente. Según los especialistas, se distinguen, *grosso modo*, varias formas de colonización. Así, las colonias fundadas sobre intercambios comerciales realizados en las factorías que, por ejemplo, los portugueses crearon a comienzos del siglo XVI en las costas atlánticas de África o del océano Índico, no estimularon a una auténtica ocupación de tierras: las aportaciones de población fueron, pues, limitadas. En cambio, la explotación del continente americano dio lugar a colonias de plantaciones o de explotación, fundadas en la agricultura o la minería —caña de azúcar en Brasil, productos mineros en Perú o México—, que exigían una implantación estable de colonos, una importante mano de obra, todo lo cual contribuyó a la configuración de los asentamientos. Lo mismo ocurrió en las colonias creadas más tarde en las regiones templadas por la inmigración europea.

Así, en los primeros treinta años de la conquista del territorio (más o menos de 1492 a 1520), los europeos tomaron posesión de las islas antillanas. La explotación de La Española (hoy Haití y República Dominicana) y de Cuba, pero también la función de base o estación para otras conquistas, que les permitía jugar con su posición de avanzadilla del continente, favorecieron un poblamiento inmediato y rápido —aunque inestable— de las Antillas, donde todavía hoy se observan sus efectos a través de densidades muy altas (Cuba: 92,6 % habitantes por km²; República Dominicana: 148; Haití: 238,6; cuadro 1 en el anexo). Desde las Antillas, los europeos enseguida se dispersaron para buscar fortuna en las vastas tierras continentales que se ofrecían a su codicia, y en especial en las ocupadas por las sociedades organizadas y prósperas que los amerindios habían desarrollado en las mesetas mesoamericanas y andinas para, desde el siglo XVI, incorporar estos dos núcleos de población *mexica* e *inca* a nuevas formas de implantación territorial.

En las costas caribeñas, desde el istmo centroamericano hasta el litoral brasileño, los asentamientos prosiguieron en función de la forma adoptada por la explotación colonial. El último gran centro de colonización, el más tardío, ya que data de la segunda mitad del siglo XIX, fue el Río de la Plata, un vasto territorio que hasta entonces había permanecido casi desierto. Los grandes centros geográficos de población son en gran medida, todavía hoy, la consecuencia de las prácticas coloniales o de las formas en que cristalizó el desarrollo económico.

Pero los procesos de evolución de los grupos humanos han contribuido también a los desequilibrios en la ocupación del espacio: la diversidad de actividades económicas, sobre todo en el siglo XX, ha expulsado gradualmente al hombre de las zonas más hostiles o menos rentables hacia aquellas que parecían ofrecer formas de vida más atractivas. Estos polos de atracción, las ciudades en particular, han acelerado los desequilibrios de población que se aprecian en la actualidad en el interior de cada una de las entidades nacionales.

2. Las estratificaciones étnicas

Los distintos centros de población se formaron, pues, a través de la contribución sucesiva de las grandes corrientes migratorias de diferentes orígenes. También es conveniente estudiarlos desde un punto de vista étnico.

2.1. Los pueblos amerindios

Hoy día se admite que los pueblos autóctonos, a los que se llama «indígenas» y a los que denominaremos «amerindios», no son oriundos del continente. Sus antepasados llegaron allí, sin duda, en la época de las últimas grandes glaciaciones que, al unir el extremo oriental de Asia al noroeste del continente americano, permitieron su paso por el estrecho de Bering hace quizá 30.000 años. En efecto, la datación aproximada, gracias al carbono 14, de los descubrimientos arqueológicos —restos de bisontes y herramientas— permite seguir a estos cazadores nómadas en la búsqueda de nuevos territorios de caza y describe su progresión, muy lenta, de norte a sur a través de todo el continente. Así, debieron llegar al norte del continente veinte milenios antes de Cristo, para recalar en América del sur aproximadamente en el 14.000 a.C.

Las excavaciones indican a continuación la sedentarización de estos grupos humanos tan pronto como aprendieron a cultivar un cereal que habían encontrado en estado silvestre: el maíz. Basaron su vida material e intelectual en él (ver cap. 3), como en Asia se hizo a partir del arroz y en Europa, del trigo. Sin duda las características regionales específicas dieron lugar a desarrollos diferentes, a pesar de los aspectos comunes, y fueron un obstáculo para la integración de los distintos grupos.

En los altiplanos, las cuencas de los ríos, las llanuras, donde el hombre precolombino podía practicar la agricultura, tuvo que agruparse y estructurar su organización social; pudo así prosperar, ganar terreno y desarrollar las grandes civilizaciones del altiplano andino, de las selvas de América Central y de la planicie mexicana. Pero, paradójicamente, la rigidez de estas sociedades, su extremada jerarquización fueron factores para su desintegración después de la conquista: los conquistadores supieron aprovechar en beneficio propio sus limitaciones y disensiones para eliminar a las élites y someter a las masas, convertidas en mano de obra, al régimen colonial. En estas regiones (México, Guatemala, Ecuador, Perú, Bolivia), a pesar de una brutal caída demográfica en el primer siglo de la conquista, los descendientes de los amerindios, más o menos asimilados y cruzados, forman todavía una parte importante de la población. Por el contrario, en las selvas y las sabanas, donde el hombre podía vivir de la caza y los frutos silvestres, no constituyó sociedades estructuradas y las densidades de población permanecieron bajas. Pero supo en principio, y a veces de forma permanente, escapar a la trampa colonial: incluso la orografía hostil que le impedía el sedentarismo

le proporcionaba escapatorias. Fue el caso, por ejemplo, de las actuales regiones fronterizas entre Estados Unidos y México, donde los indios apaches y comanches resistieron a los colonizadores —al apropiarse el uso del caballo y las armas de fuego— hasta que la construcción del ferrocarril los privó de refugio y los condenó a la extinción. Lo mismo cabe decir de los indios del Río de la Plata antes de que las «campañas del desierto» —eufemismo para denominar la caza del indio—, en la segunda mitad del siglo XIX, los aniquilasen para dejar espacio a los emigrantes europeos. En Chile, los indios mapuches resistieron con valentía y durante mucho tiempo a la dominación española, y no pudieron sobrevivir más que retirándose a las regiones desoladas del sur austral. De esta forma, los grupos humanos que habían sobrevivido conservando energía y dinamismo en condiciones de vida difíciles, desaparecieron casi en su totalidad, incapaces de resistir la presión y la técnica occidentales del siglo XIX.

En las islas antillanas, las condiciones climáticas excepcionalmente favorables y la frondosa vegetación no obligaban a los autóctonos a luchar para sobrevivir, y Cristóbal Colón descubrió allí hombres —los *taínos*— casi en estado salvaje, que no supieron o no pudieron resistir a sus invasores; en veinte años fueron exterminados por los rigores del sistema de explotación y las enfermedades importadas. No sorprende, pues, que en la actualidad no queden trazas en la población de los primeros ocupantes de las Antillas.

De este modo, la presencia de los amerindios en la población latinoamericana es hoy el resultado de varios factores: grado de evolución y condiciones de vida de los diferentes grupos, capacidad de asimilación y, sobre todo, de sumisión al régimen colonial. Por tanto, las necesidades de la colonización fueron las que estimularon los sucesivos flujos migratorios.

2.2. Flujos migratorios

Desde comienzos del siglo XVI la extinción de las poblaciones autóctonas, que los colonos españoles consideraban indispensables para la explotación colonial, les incitó a buscar una mano de obra de repuesto. La importación de esclavos africanos, ya utilizada en el Mediterráneo y para la colonización de las islas Canarias, se vio entonces como una solución. La mentalidad de la época no la consideraba condenable; incluso la recomendaban ciertos defensores de los indios, ya que consideraban al africano más resistente y más apto para el trabajo (se evaluaba su «rentabilidad» en siete años). Muy pronto los navíos del comercio negro surcaron el Atlántico derramando su carga de «madera de ébano» —según la expresión utilizada en la época— procedente del golfo de Guinea, de África occidental o central. Se calcula que entre 1450 y 1900 fueron llevados a América entre 9 y 10 millones de hombres —con una elevadísima tasa de mortalidad como consecuencia de las terribles condiciones de las travesías—, de los cuales al menos tres millones llegaron a América Latina, y especialmente a Brasil.

A finales del siglo XVIII, la revolución industrial y sus técnicas hicieron preferible la mano de obra «libre» y especializada a la de los esclavos, al mismo tiempo que la revolu-

ción negra de Haití mostraba los peligros de la institución. Gran Bretaña impuso la supresión de la trata de esclavos, y la esclavitud perdió su importancia; más tarde fue progresivamente abolida: en 1888 en Brasil, y a finales de siglo en Cuba. Los trabajadores asiáticos y europeos reemplazaron muy pronto a los negros en las plantaciones.

En efecto, las regiones que habían recibido el aporte étnico africano, las «Américas negras», eran ante todo territorios de plantaciones. En las Antillas, los esclavos habían sustituido a los autóctonos y pronto sobrepasaron en número a los europeos. Esto es muy patente en la actualidad entre una población mayoritariamente negra —Haití— o mulata —Cuba, Puerto Rico, República Dominicana—. Pero todo el Caribe, Colombia y las costas atlánticas, de Brasil al sur de los Estados Unidos, también practicaron una agricultura de plantación basándose en la esclavitud de los negros, que incluso afectó indirectamente a Perú. En las regiones en las que el clima tropical les era propicio, los descendientes de estos esclavos pudieron adaptarse, y este componente étnico es evidente, en proporciones variables, en la población brasileña, colombiana, centroamericana e incluso mexicana.

Los colonos ibéricos siguieron las huellas de Colón: los portugueses hacia Brasil, y los españoles en el resto del continente, de acuerdo con el reparto efectuado bajo la autoridad del Papado. El espejismo de un *Eldorado*, alimentado por esporádicos hallazgos de metales preciosos, y más adelante las expectativas creadas por la agricultura y el comercio, atrajeron durante varios siglos a los más pobres de la Península hacia zonas sucesivas de desarrollo, minas de plata mexicanas o comercio cubano. Los especialistas estiman en medio millón los españoles que fueron a establecerse en América de 1493 hasta mediados del siglo XVII. Funcionarios y religiosos al servicio de la Corona y de la Iglesia, pero también campesinos sin tierras de Andalucía, Extremadura y Castilla la Vieja, se establecieron sobre todo en lugares ya habitados por sociedades organizadas precolombinas y en los que importantes núcleos de población autóctona les aseguraban la mano de obra necesaria para la explotación minera o agrícola. La planicie Mexica, donde en el mismo emplazamiento del antiguo Tenochtitlán fundaron México, capital de Nueva España, es el mejor ejemplo. Pero los indispensables intercambios comerciales con las metrópolis generaron asimismo la colonización de las costas en las que se construyeron puertos (Veracruz, Cartagena, Bahía, Río de Janeiro, Valparaíso, Callao, Acapulco), y más tarde grandes ejes de comunicación terrestres o fluviales. Por el contrario, las zonas del interior del continente recibieron pocos emigrantes y permanecieron casi vacías. Estos peninsulares y sus descendientes —el componente europeo latino de la población actual latinoamericana—, ante todo preocupados en preservar un estatus privilegiado, se fueron vinculando gradualmente a su tierra de adopción y adquirieron una identidad americana definida por el término *criollo* —en portugués *crioulo* [1].

A estos primeros colonos ibéricos, después de que las independencias hubieran abierto las puertas del continente, se añadieron otros grupos de recién llegados, a merced de los azares de la historia. A comienzos del siglo XIX, la explosión demográfica, política y económica en Europa llevó a América oleadas sucesivas de emigrantes: fue la «fiebre del oro» en California, precisamente el año —1848— en que los Estados Unidos se anexionaron este territorio que antes era mexicano. El desarrollo del cultivo del café en la región de São Paulo, en Brasil, atrajo a gran número de emigrantes que reemplazaron a los esclavos negros, en especial los japoneses, que fueron igualmente muy numerosos en las costas del Pacífico; el presidente de Perú, Alberto Fujimori, es uno de sus descendientes.

Se calcula que después del primer tercio del siglo XIX, 12 millones de emigrantes europeos han enraizado en América Latina —menos que en Estados Unidos, sea por las dificultades de adaptación climática, los problemas políticos o la competencia de la mano de obra local—. Por afinidad lingüística, los mediterráneos se adaptaron más fácilmente y, en la segunda mitad del siglo XIX, españoles y sobre todo italianos fueron a instalarse en el Río de la Plata. Entre 1876 y 1915, había tres millones de italianos en Brasil y Argentina, y se considera que entre 15 y 18 de los 32 millones de la Argentina actual tienen antepasados italianos; pueden reconocerse sus huellas en numerosos patronímicos argentinos o uruguayos, y su papel es muy importante en ciertas ramas de la economía; es bien conocido el chiste: «Todos los hombres descienden

---

[1] Paradójicamente, la palabra *crioulo* —de criar, educar— designó primero al esclavo nacido en la casa de su dueño, y luego al negro nacido en la colonia.

del mono, salvo los argentinos, que descienden de un barco». Si después de las guerras de independencia los españoles fueron expulsados de los nuevos estados, la emigración procedente de la Península se reanudó, de forma masiva, a finales de siglo: se calcula que 3,3 millones de españoles, procedentes en su mayor parte de Galicia, fueron en busca de fortuna de 1880 a 1930, primero a Cuba (Fidel Castro tiene antepasados gallegos), luego a Argentina en los primeros años del siglo XX. Una minoría, los *indianos*, volvían después de hacer fortuna, pero la mayoría se quedaron allí. La Guerra Civil española provocó una nueva forma de exilio, el político: al menos 30.000 españoles, gran parte de ellos intelectuales, encontraron refugio en América Latina, sobre todo en México. Otras corrientes migratorias fueron más esporádicas; pueden citarse los *Barcelonnettes* provenientes de un pueblo francés de los Alpes del sur que, desde comienzos del siglo XIX y durante más de cien años, enviaba a México, como consecuencia de la emigración de tres hermanos vendedores ambulantes, una gran parte de sus habitantes para crear el comercio de «novedades», más adelante los grandes almacenes de México. En el cono sur, los *turcos* —sirios y sobre todo libaneses—, más que turcos jugaron ese papel; uno de sus descendientes es el presidente argentino Carlos Menem. En los últimos años del siglo XX se establecieron en la pampa argentina colonias agrícolas formadas por judíos rusos pioneros en hacer prosperar una tierra todavía virgen; son los «gauchos judíos», que en su mayoría se instalaron más tarde en las ciudades, donde se les unieron los judíos procedentes de Europa central, perseguidos por el nazismo.

Estas corrientes migratorias están ligadas sobre todo a las posibilidades de promoción social que ofrecía América Latina a finales del siglo XIX. Luego disminuyeron considerablemente y, a partir de los años 60, el flujo migratorio se invirtió: víctimas de las dictaduras y de la crisis económica, numerosos latinoamericanos, del cono sur sobre todo, volvieron a la vieja Europa, a Francia o a España... Pero del siglo XVI al XX la variedad de aportaciones étnicas y su relativa fusión contribuyeron a la originalidad de la población latinoamericana.

2.3. Mestizajes

Por las razones expuestas, la colonización de tipo establecimiento comercial en África y en Asia o las colonias de América del Norte y, al sur, del Río de la Plata, no produjeron mestizajes tan intensos como los que caracterizan a importantes zonas latinoamericanas. Se encuentran estos mestizajes especialmente en las regiones en las que ya existían sociedades precolombinas estructuradas —México, altiplano andino—, por cuanto la necesidad de mano de obra permitió en parte la supervivencia de grupos autóctonos y, progresivamente, su fusión con los otros grupos étnicos.

El mestizaje se produjo desde los primeros años del descubrimiento. En efecto, a pesar de los esfuerzos de las metrópolis para llevar a la América ibérica parejas consolidadas, susceptibles de echar raíces y estabilizar la colonización, en principio fueron muy pocas las mujeres que se arriesgaron al viaje transatlántico, y los colonos eran en su mayor parte varones jóvenes, frecuentemente solteros; los textos oficiales, que prohibían a los conquistadores y colonos ejercer la violencia sobre las mujeres indígenas, atestiguan que las violaciones eran cosa corriente. Pero es significativo que estos mismos textos autorizasen y recomendasen el matrimonio entre españoles e indígenas, dando así testimonio de una ausencia relativa de discriminación racial. De todas formas, se sabe que la mayoría de estas uniones interétnicas, así como aquellas entre europeos y negros, permanecieron casi siempre, de hecho, ilegítimas y precarias. Así, puede observarse que las uniones se practicaron durante mucho tiempo de forma unilateral: el hombre europeo con la mujer india (o negra, con menos frecuencia). La unión emblemática, en este sentido, fue la del conquistador de México, Hernán Cortés, con *la Malinche*, que fue su intérprete, su concubina (antes de cederla a uno de sus oficiales) y que le dio un hijo, Martín Cortés, uno de los primeros mestizos mexicanos. El *malinchismo*, según el escritor Octavio Paz [2], funda la nacionalidad mexicana mestiza, nacionalidad dolorosa, ya que nació de la humillación y la violencia. Igualmente Perú tiene su mestizo fundador, Garcilaso de la Vega, hijo de un conquistador del mismo nombre y de una princesa inca, y uno de los primeros cronistas peruanos.

Porque si la América ibérica no conoció ideología racista en sus comienzos, otros factores crearon sutiles jerarquías étnicas cuyas huellas conservan ciertos documentos iconográficos y una terminología específica (*mestizo, castizo, mulato, morisco, torna atrás*, etc.): al principio de la colonización, el mestizo era un bastardo, casi siempre rechazado por su padre, lo que, en una sociedad tan formalista, le daba un estatus de inferioridad y problemas de adaptación; le era muy difícil ascender en la escala social y quedaba dedicado, así como el mulato, a las tareas subalternas del artesano o el pequeño comercio.

Esta diferenciación social como consecuencia del color de la piel no está ausente de la sociedad actual, en la que la publicidad y las revistas imponen modelos físicos occidentales muy diferentes de los tipos locales; a veces también se hace alarde de una esposa o un hijo más «blanco» que uno mismo, y los retratos de jefes de Estado del pasado o del presente muestran que la mayoría de las élites provienen de familias casi exentas de mestizaje.

Por tanto, en busca de su identidad, América Latina asume gradualmente —al menos intelectualmente— la riqueza de su herencia étnica. En Cuba, el gran poeta mulato Nicolás Guillén ha cantado maravillosamente a sus «dos abuelos», el conquistador español y el esclavo negro. Por su mestizaje especialmente acentuado y por el hecho de su proximidad a Estados Unidos, que le incitan a subrayar su singularidad, México, desde comienzos del siglo XX, ha estado a la cabeza de esta orientación de identidad que intenta inculcar al ciudadano el orgullo de sus dobles raíces, indias e ibéricas. En todo el subcontinente, la conmemoración del quinto centenario del descubrimiento de

---

[2] Octavio Paz, *El laberinto de la soledad*, México, 1950.

América ha sido la ocasión para muchos intelectuales de lamentar el genocidio de los pueblos indígenas, pero también de celebrar la fecundidad y la riqueza de los procesos de mestizaje que siguieron y que han formado la América Latina actual.

Esta particularidad se manifiesta especialmente en el plano cultural.

3. ¿CULTURA O CULTURAS?

La diversidad de la población latinoamericana debe tenerse en cuenta cuando se encara el dominio cultural, es decir, los frutos del espíritu destinados a satisfacer las demandas de la inteligencia, de la sensibilidad, y el sistema de valores que los sustenta, así como la concepción de las relaciones del hombre con el mundo en el que vive.

Los numerosos flujos étnicos que, en el curso de los siglos, han conformado la América Latina actual, ¿se han visto obligados a renunciar a sus culturas originarias para someterse a una cultura hegemónica? ¿Han podido, por el contrario, salvaguardar algunos elementos para fundirlos, más o menos armoniosamente, en una identidad específica?

1. Una cultura «latina»

1.1. El catolicismo

Hay que volver de nuevo a la historia, y especialmente al punto en que la Europa latina se proyecta sobre nuevas tierras. El Occidente etnocentrista está convencido de la validez exclusiva y de la universalidad de su civilización. Los «grandes descubrimientos», es cierto, van a animar a las mentes cultivadas del Renacimiento a abrirse al mundo, pero en esos comienzos del siglo XVI la principal preocupación es la salvación del hombre en el más allá. La religión es la base de la cultura latina; cualquier otro sistema que pueda imaginar al hombre en otro universo que no sea el de la Iglesia católica es reprimido. España y Portugal expulsan a los judíos de la Península, así como a los musulmanes, y cierran sus fronteras a la Reforma luterana. En este contexto de intolerancia, en principio no puede haber lugar para las creencias religiosas autóctonas de los territorios de ultramar, sólo explicables por el desconocimiento del Evangelio o por la influencia del demonio. El esfuerzo por extirpar las creencias locales, la evangelización de los indígenas por los misioneros, son la prioridad que, al mismo tiempo, legitima la integración de las tierras descubiertas en Occidente con arreglo a unas normas consideradas como las únicas aceptables: la desnudez de los indios que viven en un clima tropical, por ejemplo, parece incompatible con la idea occidental de la decencia; la relativa ociosidad que les permite una tierra fértil se atribuye al vicio de la pereza.

El cristianismo hace, pues, su entrada en América Latina —la más importante comunidad católica del mundo en la actualidad— acompañado de un conjunto de prácticas, valores culturales y reglas sociales que marcan profundamente su fisonomía actual.

1.2. La lengua

Es en primer lugar la lengua —español, portugués, más tarde francés en Haití— el vehículo de transmisión de la cultura latina, que se difunde en todo el subcontinente a través de los representantes del poder, funcionarios, eclesiásticos, propietarios y comerciantes; gracias a ellos, en 1980, el español y el portugués lo hablan 221 millones de personas en América Latina (o sea, el 96,6 % de la población), herencia peninsular que ponen de manifiesto la toponimia y la onomástica.

1.3. Mentalidades y prácticas

Pero los colonizadores llevaron también sus modos de pensar, legislación, formas políticas y administrativas, sistemas económicos, así como usos y costumbres, estilos artísticos, hábitos alimentarios y culinarios, ciencia y técnica... Estos referentes formales condujeron a América Latina a pensar sobre pautas occidentales, y cuando a comienzos del siglo XIX se liberó del dominio de las metrópolis ibéricas, buscó todavía en Occidente los modelos sustitutivos: los jóvenes republicanos recurrieron a Gran Bretaña, Francia y Estados Unidos para sus instituciones y constituciones; adoptaron, entre otras ideologías, el liberalismo británico; luego, el positivismo de Augusto Comte, especialmente en Brasil, bajo el lema *Ordem e Progresso*; más tarde, el pensamiento marxista y el anarquista tuvieron también sus seguidores.
Uno de los ejemplos más significativos de esta proyección de Europa en América Latina es quizá el concepto de urbanismo, heredado de los teóricos europeos del Renacimiento, y todavía hoy bastante visible en el centro histórico de las ciudades.
En efecto, la voluntad centralizadora de la metrópoli se tradujo en una racionalización del espacio urbano; su plano regular, en cuadrícula, se organizó alrededor de un eje central, la *plaza mayor*, donde todavía hoy se manifiestan todos los poderes: iglesia, ayuntamiento, plaza de armas, mercado conforman un lugar de encuentro social y de protesta, y donde también se manifiesta, en el mismo lugar, la herencia cultural latina bajo sus diferentes formas.

2. Sincretismos

La cultura latina, ya sea a la fuerza o por libre elección, constituye, pues, la base que unificó las Américas llamadas latinas. Sin embargo, no puede impedir que el subcontinente, tierra de encuentros, haya recibido otras aportaciones culturales, múltiples y heterogéneas, que han podido afectar profundamente a la unidad latina de la superficie. Los mestizajes, así como las diversas formas de relaciones interétnicas, han servido de vehículo a la imbricación más o menos perceptible de estos elementos. Pensemos, por ejemplo, en el papel que han podido o pueden jugar las nodrizas o criadas indias y negras en la transmisión a los niños de origen europeo de cuentos, tradiciones, costumbres culinarias, etc. Se denomina sincretismo a la creación de una forma cultural nueva y original, mediante el contacto y la asimilación de dos culturas diferentes.

2.1. Sincretismo religioso

El sincretismo encuentra su mejor forma de expresión en el

ámbito religioso. En efecto, los métodos de conversión forzada y rápida (en menos de una generación en el caso de América Latina), en la medida en que no pueden modificar profundamente las ideas, se preocupan ante todo de implantar las formas, ritos y símbolos de la nueva religión. Para una mejor aceptación por parte de los nuevos conversos, intentan mantener una continuidad conservando los elementos más aceptables de las creencias anteriores —lugares de culto, fechas de celebración, incluso divinidades tutelares—, dándoles el nuevo significado que implica la creencia importada. Por ejemplo, la Tierra, a menudo reverenciada por los pueblos agrícolas prehispánicos bajo la forma de una diosa madre —como Pachamama en el altiplano andino—, se ha asimilado frecuentemente a la Virgen María, no siendo incompatible su significado recíproco. Una de las propiedades de la forma antigua se transmite a veces a la nueva y facilita así su adopción: por ejemplo, un santuario tradicional que celebraba a la diosa madre de la Tierra, Tonantzin —en la actualidad en el centro de México capital—, habría sido el lugar de una aparición de la Virgen, la Virgen de Guadalupe; gracias a su tez morena, por la que recibió el nombre afectuoso de *Morenita*, se convirtió rápidamente en objeto del fervor de los indios. Este rasgo simbólico le ha permitido jugar un papel de unidad esencial en las guerras de independencia, y actualmente su culto es todavía uno de los más importantes en América Latina.

2.2. Sincretismo cultural

Así pues, los «mitos originarios» que expresan las relaciones del hombre con las fuerzas naturales, telúricas y cósmicas, pudieron sobrevivir, después de la conquista, en los ritos, fiestas y costumbres de los pueblos agrícolas cuya vida cotidiana se regía siempre por el Sol, la Luna, el Agua, la Tierra; el libro sagrado de los mayas quichés de Guatemala, el *Popol Vuh*, según el cual los dioses formaron a los hombres a partir del cereal imprescindible para la vida, el maíz, no ha perdido totalmente valor, como demuestra el bello relato de la guatemalteca Rigoberta Menchú, premio Nobel de la Paz en 1992 [1].

Las numerosas aportaciones étnicas africanas y su visión del mundo transmitidos por vía oral, las músicas, danzas, tradiciones y ritos, también contribuyeron a enriquecer el fondo común latinoamericano, en especial en las regiones en las que la esclavitud fue importante; así se configuraron los sincretismos religiosos y culturales llamados *vudú* en Haití, *candomblé* en Brasil y *santería* en Cuba, actualmente tan vivos. «Trozos de vida», como el de un indio mexicano tzotzil o el de un antiguo esclavo cubano, son testimonio de estas culturas mestizas [2].

En la actualidad el folclore es el campo donde se trasluce mejor este sincretismo. Los turistas, ávidos de exotismo, buscan manifestaciones, fiestas, ritos, artesanía; con todo, captan equivocadamente estas formas de expresión que, enraizadas en los hábitos de las comuni-

[1] Elisabeth Burgos, *Yo, Rigoberta Menchú*, París, Gallimard, 1983.
[2] Ricardo Pozas, Juan Pérez Jolote, *Biografía de un tzotzil*, México, Fondo de Cultura Económica, 1952; Miguel Barnet, *Biografía de un cimarrón*, Barcelona, Ed. Ariel, 1968.

dades y constitutivas de su identidad, pierden su significado y su autenticidad cuando entran en el circuito de los intercambios comerciales y se adaptan al gusto del posible consumidor y a menudo se degradan estéticamente, poniendo así en marcha un proceso de empobrecimiento cultural. Las muestras de sincretismo pueden producirse en los dos sentidos. El europeo, el recién llegado, también se siente inducido a modificar sus costumbres y su forma de pensar para adaptarse a un nuevo contexto; muchos latinoamericanos han podido escribir, como Simón Bolívar: «No somos ni indios ni europeos». Desde luego se constata que numerosas expresiones culturales procedentes de Europa sufren modificaciones cuando entran en contacto con la realidad americana; en el campo de las ideas, por ejemplo, el positivismo de Auguste Comte adoptó formas originales, pragmáticas, cuando se importó por Brasil o México. Y actualmente la teología de la liberación podría no ser más que una forma *sui generis* del catolicismo social. Pero es quizá en el campo de la creación y de la fantasía donde se refleja mejor este proceso de adaptación y de asimilación.

3. Expresiones culturales

Las artes y la literatura son, efectivamente, el campo privilegiado de los mestizajes culturales, al igual que esas ciudades coloniales, como Cuzco en Perú, que se edificaron sobre los restos prehispánicos, superponiendo así las dos culturas.

3.1. Las artes

Muy pronto, con la evangelización, se sintió la necesidad de erigir iglesias y conventos y, como es lógico, las formas arquitectónicas y plásticas europeas sirvieron de modelos. La construcción de edificios religiosos, y más tarde civiles, aumentó en las ciudades cuando a la precariedad de la conquista sucedió la relativa estabilidad colonial. Este proceso fue especialmente notorio en las regiones en las que la riqueza minera y agrícola traía prosperidad: las iglesias de Taxco y Puebla en México, de Arequipa en Perú, de Quito en Ecuador, los palacios coloniales de México, con la riqueza ostentosa de sus dorados, su policromía o sus ornamentos, son buena prueba de ello.

Pero si los modelos eran europeos, los artistas y artesanos eran frecuentemente mestizos o indios. Influenciados por los temas que les ofrecían la fauna y la flora americanas, reinterpretaban las líneas arquitectónicas de importación disimulándolas bajo una ornamentación abundante y la exuberancia de torres, cúpulas, retablos y columnas salomónicas; dotaron así de su fisonomía especial al barroco americano en todas sus facetas pluriétnicas. Uno de los mejores representantes es el escultor Antonio Francisco Lisboa, llamado *Aleijadinho* (el Tullido), hijo de un portugués y de una negra, que decoró un gran número de iglesias en Brasil en el siglo XVIII, después del hallazgo de yacimientos mineros en el Estado de Minas Gerais.

Este arte original, ya que expresa la especificidad de los mestizajes latinoamericanos, se convirtió en una expresión de identidad, una estética en la que se reconocían los pueblos del continente. También fueron numerosos los movimientos artísticos posteriores que, sin dejar de abrirse a los esquemas occidentales, supieron apropiárselos al adaptarlos para expresar la realidad americana en su autenticidad; muchos artistas que habían estudiado en París volvieron para trabajar en y para sus países; puede citarse a los muralistas mexicanos a los que los gobiernos posrevolucionarios confiaron la tarea de educar al pueblo pintando al fresco los muros de los edificios públicos; o el pintor cubano Wilfredo Lam, que supo integrar en esquemas europeos las tradiciones afrocubanas y la frondosidad del paisaje antillano. En el campo del urbanismo, el mestizaje cultural quizá aparece todavía más nítido: Óscar Niemeyer, arquitecto de la nueva capital de Brasil, Brasilia, ha mantenido las enseñanzas de Le Corbusier, pero sus obras manifiestan también la influencia del paisaje brasileño.

Todavía se puede citar el terreno musical con, entre otros, el brasileño Heitor Villa-Lobos, y, sobre todo, el cine. El invento de los hermanos Lumière ha proporcionado a ciertas sociedades latinoamericanas un medio de expresión popular de una gran eficacia pedagógica o militante. El *cardenismo* mexicano, por ejemplo, ha sabido expresar maravillosamente sus principios nacionalistas, populistas e indigenistas con realizadores como el Indio Fernández; el *Cinema Novo* brasileño ha seguido sus huellas y la pantalla se ha convertido en medio de denuncia con el boliviano Sanjinés o el chileno Littin. Actualmente, una nueva manifestación cinematográfica, los *culebrones* mexicanos y brasileños (folletines televisivos interminables), son el resultado de otro mestizaje cultural, marcado por una influencia norteamericana creciente y quizá alienante.

3.2. La lengua

En el campo de la lengua, poderosa base de la identidad «latina», los mestizajes están muy presentes y tienen gran influencia en las letras.

En los primeros años de la conquista, se obligó en la América española a utilizar el castellano, lengua de unificación y de poder. Pero la marginación de los indios, evangelizados en sus lenguas autóctonas, y la necesidad de los colonos de comunicarse con las comunidades indígenas, preservaron el uso de numerosas lenguas vernáculas. Por otra parte, la presencia de una realidad nueva, animales, vegetales y diversos objetos desconocidos hasta entonces para los europeos, llevó a éstos a adoptar términos autóctonos para designarlos, y a enriquecer así el tronco ibérico, diversificándolo de una región a otra; léxico, construcciones, acento, música de la frase se distanciaron del español y el portugués académicos, con el escándalo quizá de ciertos puristas.

En el siglo XIX, el argentino Sarmiento impugnó el excesivo respeto por la lengua de las antiguas metrópolis, y reclamó el derecho a «la emancipación mental», con el fin de adaptar el vehículo de comunicación a las necesidades de la realidad americana. Actualmente nadie pone en duda este derecho; cubanos, mexicanos, argentinos, se entienden entre ellos y con los españoles, aunque se expresen en variedades del castellano muy diferentes que enriquecen las diversas particularidades regionales. Es lo que ha explicado muy bien el escritor argentino Ernesto Sábato: «... en el mismo momento en que el primer español ha contemplado el cielo de América, ha hollado su tierra, ese cielo no era ya el cielo de su patria, la tierra no era la que le había nutrido, la palabra amor no significaba ya exactamente lo mismo, ni la palabra recuerdo, ni tristeza, ni nostalgia. Así, escritores separados por la inmensidad de cordilleras y desiertos se dieron cuenta del milagro de escribir en una misma lengua que, en lo esencial, es la de Castilla, y, sin embargo, es diversa»[3].

Actualmente, la tasa de población que se expresa en una lengua indígena está disminuyendo, pero, al lado del castellano, el aymara en Bolivia, el quiché en Guatemala, el náhuatl en México, se hablan por un número importante de personas (ver anexo, cuadro 3). En Paraguay, el guaraní es la lengua oficial con el castellano, lo que implica, en principio, su uso en la administración, la enseñanza, los medios de comunicación. En Perú, el quechua se declaró lengua oficial en los años 70 por un decreto del gobierno de Velasco Alvarado, aunque esta medida ha sido papel mojado hasta ahora: los niños de las comunidades indias, por ejemplo, no son escolarizados en quechua, y los campesinos indios citados ante la justicia no pueden ser comprendidos en su lengua. Se explica que la defensa de las lenguas amerindias figure en el primer lugar de las reivindicaciones de las organizaciones indias que defienden sus derechos.

Al tratar del sincretismo lingüístico hay que tener igualmente en cuenta la influencia recíproca del inglés y del español en los amplios territorios del sur de Estados Unidos, mexicanos hasta 1848; en la actualidad ven afluir una emigración de *hispanos* proceden-

tes no sólo de México, sino también de todo el continente, que conlleva lo que se ha dado en llamar una «reconquista silenciosa». Los debates, a veces muy vivos, sobre la adopción del español como lengua oficial en California o en Arizona no impiden que se difunda un *spanglish* (*Le Monde*, 28-5-1991, p. 23), testimonio de otro mestizaje cultural.

3.3. Las literaturas

Estas diversas culturas se enriquecen y vivifican con sus contactos recíprocos; sin embargo, su confrontación en el seno de una misma colectividad, e incluso de un mismo individuo, a veces se vive de una forma conflictiva, ya que es el resultado de la dominación colonial —que se manifiesta, por otra parte, en otros niveles—. Sin duda es la literatura, por el lugar tan importante que le otorga a la fantasía, la que mejor permite expresar esta identidad conflictiva, elevando así a las letras latinoamericanas de hoy a la universidad.

Este conflicto apareció ya en la época de la conquista, en la actitud ambivalente de los colonizadores ante las culturas precolombinas: por una parte, el etnocentrismo europeo condenó sus productos a la destrucción quemando los preciosos códices que mostraban la historia, las mitologías, las prácticas de las sociedades indígenas anteriores a 1492; pero por otra, los misioneros encargados de evangelizar a los indígenas pronto sintieron la necesidad de conocer sus tradiciones y creencias para erradicarlas más eficazmente. Paradójicamente, las salvaguardaron

---

[3] *El País*, Madrid, 14-4-1989, p. 40.

en parte, reescribiendo la memoria de los vencidos; de esta forma han llegado hasta nuestros días, en las adaptaciones españolas, el *Popol Vuh*, libro sagrado de los mayas quiché; *Ollantay*, drama quechua, o incluso el gran trabajo antropológico, que se adelantó a su tiempo, de Fray Bernardino de Sahagún en México.

Las letras coloniales también tienen sus representantes; pero la influencia de los modelos de las metrópolis era demasiado grande para que pudieran expresar libremente una identidad americana —que se manifiesta, sin embargo, en el peruano mestizo Garcilaso de la Vega—. Si la literatura es la expresión de las sociedades, no puede hallar su completo desarrollo más que en la toma de conciencia de su singularidad o de sus disfunciones; en México, a comienzos del siglo XIX, por ejemplo, Fernández de Lizardi mostraba, en las primeras novelas escritas en el continente, los conflictos que iban a llevar poco después a la independencia [4].

Sin embargo, no fue fácil para las nuevas naciones independientes liberarse de los anteojos de alienación colonial para crear «literaturas nacionales». Una vez rechazada la influencia ibérica, los escritores latinoamericanos buscaron en otra parte, especialmente en Francia, modelos de recambio. Con la ayuda de las corrientes románticas, observaron y descubrieron las tierras americanas y su geografía indómita; luego, al hombre americano en su individualidad y sus costumbres específicas; el indio en los Andes, el negro en el Caribe, el gaucho en Argentina, dieron así testimonio de la originalidad del continente. Los esfuerzos del hombre americano para dominar la naturaleza proporcionaron temas; más tarde, las relaciones sociales con toda su violencia. Uno de los grandes ejes de las letras latinoamericanas fue también el conflicto entre «civilización y barbarie», como consecuencia del ensayo *Facundo* del argentino Domingo Faustino Sarmiento (1845).

Si a finales del siglo XIX la apertura al extranjero se puso de manifiesto en la poesía llamada «modernista», la gran revolución mexicana de 1910 atrajo la atención sobre las realidades nacionales, y en especial sobre los grupos sociales humillados. *Los de abajo* (1915), novela de Mariano Azuela, abrió la vía para el relato-reportaje, principal corriente de «la novela de la revolución mexicana».

Al mismo tiempo, sobre todo en las zonas andinas, el descubrimiento por los intelectuales de la condición social explotada del indio dio lugar a las novelas indigenistas, que poco a poco debían desprenderse de actitudes paternalistas y estéticas maniqueas —el indio idealizado enfrentado a los «malvados explotadores»—, lo que no fue posible hasta que surgieron novelistas de cultura indígena, como José María Arguedas en Perú. Los escritores latinoamericanos fueron tomando conciencia de manera paulatina de su problemática identidad en relación con las otras culturas, y se esforzaron por comprenderla no sólo desde una perspectiva regional que los aislaba del mundo, sino desde una visión continental, incluso universal; al mismo

---

[4] Aquí no se pretende más que una rápida síntesis explicativa de la trayectoria literaria latinoamericana; para una mayor información, se debe buscar en las numerosas historias de la literatura existentes.

tiempo, la asimilación de las experiencias literarias occidentales les proporcionó los medios para expresar toda su complejidad. Así llegó la eclosión de los grandes poetas (Guillén en Cuba, Neruda en Chile y Vallejo en Perú), los ensayistas (Paz, en México), y sobre todo lo que se ha llamado «nueva narrativa latinoamericana»: Asturias, Borges, Rulfo, Carpentier, Sábato, Guimeraes Rosa, Fuentes, Cortázar, Vargas Llosa, Cabrera Infante, García Márquez y tantos otros que, en la segunda mitad de nuestro siglo y en todo el continente, han creado nuevas formas para inventariar, designar y representar una realidad original y contradictoria; y esta veta está lejos de haberse agotado.

La resonancia de las creaciones literarias y artísticas latinoamericanas mucho más allá del continente prueba una vez más la gran fecundidad de los mestizajes étnicos y culturales que las ha hecho posibles. También muestra una vitalidad, una capacidad de rechazo de los vínculos de dependencia que no se ha manifestado todavía en otros terrenos, y en especial en el económico.

4. LAS ECONOMÍAS DE AMÉRICA LATINA

De la herencia cultural surgida del mundo latino, el continente americano recibió, en el siglo XVI, la economía de mercado: a pesar del periodo de crisis que atravesó Europa en el siglo XV, los intercambios comerciales se acrecentaron; se crearon compañías mercantiles que abrieron sucursales en toda Europa; ricas familias de banqueros ejercieron una considerable influencia —incluyendo más tarde las empresas del descubrimiento y la colonización—. Los intercambios comerciales fundados sobre la base de la inversión con vistas a los beneficios aparecieron en Europa, para luego intensificarse y desplazarse del Mediterráneo al Atlántico después de 1492, abriendo las puertas al capitalismo y a una economía mundial.

1. Economías coloniales

1.1. Los metales preciosos

En Europa, la forma principal de pago era la moneda de oro y de plata, imprescindible para los intercambios, y se sabe que la búsqueda de oro —junto con la de especias— fue uno de los motivos de los grandes descubrimientos. Descubridores y conquistadores estaban fascinados por el metal amarillo, símbolo de riqueza y poder, ori-

gen del mito de *Eldorado*; por el contrario, los amerindios no le daban otro valor que el ornamental y para útiles de sus rituales, y vieron, no sin estupor según nos cuentan las crónicas, cómo la sed del oro transformaba a los españoles en bestias salvajes.

El historiador Pierre Chaunu calcula que todo el oro amasado por los indios de las Antillas fue acaparado en dos o tres años por los españoles, que luego emprendieron la explotación de las arenas auríferas (*placeres*); más tarde, de México y sobre todo de Perú, llegaron a España los cargamentos del precioso metal. Pero, al mismo tiempo, el ciclo del oro dio paso a la plata, con el descubrimiento de las minas mexicanas (Zacatecas, 1546; Guanajuato, 1548) y, sobre todo, las peruanas (Potosí, hoy en Bolivia, 1545). La expresión «vale un Perú» conserva el recuerdo de aquella abundancia inesperada, que culminó a finales del siglo XVI con una producción de más de 300 toneladas al año. Sin embargo, España no supo utilizar la masa monetaria resultante para desarrollar su actividad productiva, y prefirió usarla en importaciones; de esta forma favoreció el desarrollo de las manufacturas inglesas, francesas y holandesas, lo que muy pronto consolidó la preponderancia de estos países en Europa.

1.2. La agricultura

Al mismo tiempo, en las proximidades de las minas se desarrolló una economía agrícola indispensable para la subsistencia de los colonos, a causa de la lejanía de la metrópoli. Y también la ganadería conoció un rápido crecimiento: los ganados bovino, ovino y porcino, y también los caballos, desconocidos en el continente, se introdujeron allí con éxito. El cultivo del trigo, importado de la Península y destinado a los españoles, tuvo un desarrollo similar. Por el contrario, numerosos productos americanos desconocidos en Europa llegaron de forma paulatina al viejo continente: maíz, judías, tomates, café, cacao, tabaco, patatas..., y sabido es que estas últimas permitieron resolver no pocas crisis alimentarias.

Pero las exportaciones agrícolas se intensificaron sobre todo con el sistema de las plantaciones, destinadas a satisfacer las crecientes demandas europeas. En las Antillas y en las zonas costeras tropicales del Atlántico —especialmente en Brasil—, y más tarde en el Pacífico, se extendió el cultivo de la caña de azúcar, luego del algodón y del cacao, gracias a la mano de obra de los esclavos. La economía de plantación prosperó en la América española al final del periodo colonial, cuando la legislación permitió a los países americanos la apertura a los mercados internacionales. Sobre estas bases, la ganadería y la agricultura favorecieron el monopolio de la tierra por los colonos, bajo la forma de grandes propiedades privadas —*haciendas, estancias, fazendas* en Brasil—. Los grandes terratenientes, aprovechando la mano de obra indígena o negra, reforzaron de esta forma su prestigio y su poder, de acuerdo con las costumbres feudales importadas de Europa. Pero esta usurpación de la tierra se oponía a la explotación comunitaria de los amerindios; si la reducción de la población indígena, en el siglo XVI, dejó vía libre a este proceso de privatización de la tierra, no fue sin graves consecuencias económicas y sociales que, como veremos más adelante, todavía se dejan sentir hoy.

Al favorecer de esta forma los cultivos de plantación destinados al mercado europeo, las metrópolis, por contra, no se preocuparon por satisfacer las necesidades americanas de productos de consumo y, así, no impulsaron el desarrollo de manufacturas locales. Creyeron que podrían utilizar sus ganancias de las minas para importar esos bienes de países europeos en vías de industrialización. De este modo crearon las condiciones de una gran dependencia con respecto al exterior.

La colonización había sustituido las economías autóctonas por un sistema completamente volcado hacia el exterior destinado a satisfacer las necesidades de la metrópoli antes que las internas. Así pues, en tanto que Europa occidental se desarrollaba y acometía la revolución industrial, la América ibérica, que le proporcionaba materias primas minerales y agrícolas, se estancaba. Este desfase iba a producir la independencia política, pero también a generar una seria situación de desventaja económica y social en el futuro.

2. Economías de exportación (siglos XIX y XX)

Con todo, la segunda mitad del siglo XVIII fue un periodo de relativa prosperidad para la América ibérica. La población aumentó, así como la producción y el comercio, gracias a las reformas de los Borbones en la América española y a las del ministro Pombal en Brasil. La plata de México, el cobre del Río de la Plata, el cacao de Nueva Granada (Venezuela) fueron importantes fuentes de riqueza.

2.1. El liberalismo

Pero fue sobre todo durante el siglo XIX, después de la independencia de las colonias españolas, cuando el subcontinente se integró en el mercado mundial como productor de materias primas y cliente de productos manufacturados europeos. Gran Bretaña, iniciadora de la revolución industrial, era entonces la mayor potencia mundial; su poder en los mares le había permitido desarrollar de forma considerable sus intercambios comerciales, sustentados por una sólida red financiera. Al conceder préstamos a las jóvenes naciones americanas (pronto imitada por Francia, y luego por Alemania), pudo crear interlocutores económicos. En la segunda mitad del siglo XIX iba a imponer la doctrina del libre comercio que, a través de la libre circulación de mercancías (laissez faire, laissez passer), aumentaría más su influencia y su riqueza.

Esta apertura hacía indispensable que la América ibérica se adaptase a las reglas del mercado internacional, exigiendo al mismo tiempo modificaciones en el reparto de la tierra, el control de la mano de obra y otros cambios estructurales. Éstos fueron los objetivos de las reformas liberales en todo el subcontinente: la desamorti-

zación de los bienes raíces pertenecientes a las comunidades religiosas e indígenas, que permitió el aumento de la propiedad privada de la tierra bajo la forma de inmensos dominios, latifundios, adecuados para los cultivos de exportación. Este cambio de la estructura agraria, privando a los miembros de la comunidad indígena de sus medios tradicionales de vida en favor de gobiernos autoritarios y de autoridades locales —los caciques—, creó el mercado de trabajo que necesitaba la economía de exportación; así, por ejemplo, los indios de las comunidades bolivianas proporcionaron la mano de obra necesaria para los centros mineros. Por otro lado, el flujo de capitales invertidos, sobre todo británicos, después norteamericanos, en el último tercio del siglo XIX permitió la construcción de las infraestructuras indispensables para el desarrollo del mercado exterior: ferrocarriles, puertos, telégrafo y más tarde el teléfono.

2.2. La exportación de materias primas

Así, se incrementó desde mediados del siglo XIX la producción de materias primas agrícolas y mineras buscadas por Occidente y destinadas al consumo o a la industria: café (El Salvador, Colombia, Venezuela, Guatemala, Brasil), azúcar (Cuba), cacao (Brasil), ganadería (Argentina y Uruguay), guano peruano, además de nitratos chilenos utilizados como fertilizantes, caucho (Brasil), plata, estaño y cobre (Bolivia, Perú), etc.

Esta forma de integración en el mercado mundial —exportación de materias primas, importación de productos elaborados— no transcurría sin grandes dificultades:

• Primero, creó desequilibrios regionales favoreciendo un desarrollo localizado, limitado a zonas de producción, por ejemplo las costas aptas para la agricultura (Brasil, Perú), en detrimento del interior, que permaneció subdesarrollado. Privilegió a los países más ricos con las materias primas más valoradas —Argentina, Brasil, México— porque proporcionaban importantes mercados potenciales.

• Luego, las inversiones extranjeras orientaron las economías latinoamericanas en función de sus intereses asegurándose el control de numerosos sectores de producción.

Esta dependencia era tan grande que la mayoría de los países basaban su economía en un número reducido de productos que representaban el 30 % de sus exportaciones y a veces mucho más; no es extraño que se hable de monocultivo. Estaban sometidos en gran medida a la demanda exterior y a las cotizaciones mundiales, cuyas bajadas provocaban —y todavía provocan— un grave descenso del ingreso de divisas. Esto fue lo que ocurrió, por ejemplo, en el momento de la Gran Depresión de 1929.

2.3. La dependencia económica y política

El desarrollo industrial era todavía limitado. Para las clases dominantes que habían heredado la mentalidad colonial, la riqueza y el poder radicaban en la propiedad de la tierra; por esta razón no estaban dispuestas a invertir como lo habían hecho en los países desarrollados las burguesías capitalistas, estimulando así un sector fabril autónomo. Además, el consumo de productos manufacturados se limitaba a un reducido y afortunado sector de la población, que prefería los artículos de lujo importados de Europa o Estados Unidos; el consumo interior no podía así garantizar la rentabilidad de una producción local.

Sin embargo, a finales del siglo XIX, el flujo de capitales extranjeros permitió un cierto desarrollo industrial. No podía ser una industria de transformación que hiciese competencia a los productos importados por las mismas potencias inversoras, sobre todo Inglaterra. Estos fondos se destinaron a la elaboración de productos textiles y agrícolas (por ejemplo, mataderos, frigoríficos, conserveras en Argentina) y a la extracción minera; de esta forma las empresas inglesas pronto dominaron el estaño boliviano, el cobre peruano y colombiano, los nitratos chilenos y, más tarde, el petróleo con total consentimiento de los estados y las clases dirigentes que, interesadas en los beneficios, no supieron oponerse a esta evasión de riquezas, a la dependencia del exterior y a la vulnerabilidad económica y política que engendraba.

En los últimos años del siglo XIX, el capital norteamericano comenzó también a afluir, sobre todo en los países vecinos —México, Cuba—, y pronto sustituyó a las inversiones británicas. Después de la Primera Guerra Mundial, que debilitó a las potencias europeas y en especial a Inglaterra, los Estados Unidos se convirtieron en el primer proveedor e importador de América Latina y su actividad en el subcontinente se hizo preponderante en el plano económico y por ende también en el político; por ejemplo, es el caso de la caña de azúcar en Cuba, cuyo cupo de exportación lo fijaron los Estados Unidos para así poder presionar al gobierno cubano en los años veinte y, más tarde, a comienzos de la revolución castrista. Ocurrió lo mismo con el cobre chileno nacionalizado, cuyo embargo por parte de las empresas norteamericanas expropiadas contribuyó a la caída del gobierno electo del presidente Allende en 1973.

3. Desarrollo y dependencia

3.1. Sustitución de las importaciones

La Primera Guerra Mundial fue, no obstante, un factor positivo en el desarrollo económico de América Latina. En efecto, las potencias europeas en guerra fueron incapaces de proseguir sus exportaciones industriales; en cambio, tenían gran necesidad de productos alimenticios procedentes del subcontinente: trigo, carne, frutos tropicales. Los países proveedores de estos productos a gran escala —Argentina, Brasil, México, Chile—, que continuaban vendiendo pero no podían ya comprar, vieron cómo aumentaban los excedentes de su balanza comercial, y estos fondos les permitieron crear una industria autónoma llamada «de sustitución de las importaciones».

La Gran Depresión de 1929 afectó gravemente a las economías latinoamericanas (por ejemplo, se sabe que se quemaron cosechas de café en Brasil para evitar la caída de los precios), pero la Segunda Guerra Mundial favoreció la recuperación económica; de nuevo los Aliados necesitaban materias primas alimenticias, textiles y, sobre todo, metales estratégicos —en los que se invirtió el capital norteamericano—. Una vez más, privados de las

importaciones occidentales, los países productores más dinámicos, los más ricos en recursos y con más habitantes susceptibles de proporcionar a la vez mano de obra y clientela potencial, pudieron desarrollar sectores industriales de una forma gradual; primero, industrias de bienes de consumo (curtidos y pieles, ropas, productos agroalimentarios); más tarde, bienes de equipo de los más sencillos a los más complicados (maquinaria agrícola, siderurgia, cemento, electrodomésticos, automóviles, petroquímicas).

En la euforia de esta coyuntura favorable, los gobiernos llamados «populistas» —como el del general Perón en Argentina— intentaron recuperar el dominio de las riquezas nacionales alienadas por la dependencia de los capitales extranjeros favoreciendo el desarrollo interno. La fuerte intervención del Estado se aplicó a las nacionalizaciones, sobre todo de las infraestructuras y la energía: ferrocarriles, electricidad, petróleo (nacionalizado en México en 1938, en Argentina en 1946, luego en Bolivia, Brasil y Venezuela). Este tipo de política nacionalista se extendió más tarde, en algunas ocasiones, a Ecuador, Chile y Perú. En los países aludidos, los más extensos, ricos en recursos y en población, la política nacionalista permitió una importante modificación de las estructuras, el surgir de la clase obrera y, debido al desarrollo de los servicios, de la clase media: hubo un aumento de los niveles de vida, aunque limitado, sin embargo, por el elevado crecimiento demográfico.

Por el contrario, esta evolución no se produjo, o fue muy limitada, en los pequeños países centroamericanos poco poblados, cuya economía se basaba en un producto subordinado a las cotizaciones (azúcar, café, frutas tropicales), que no creaba servicios y cuyo mercado interior era reducido.

3.2. La teoría del desarrollo

Sin embargo, la dependencia tecnológica era muy grande. Las técnicas industriales avanzaban rápidamente en Europa y en Estados Unidos, pero en América Latina la deficiente investigación científica y tecnológica hacía necesarias costosas transferencias de tecnología. A pesar de la protección del Estado y los bajos salarios en la industria, los productos latinoamericanos eran poco competitivos y poco rentables en el mercado de la exportación.

Así comenzó a contemplarse un desarrollo más ajustado a la realidad. En 1949, por iniciativa de las Naciones Unidas, se creó la Comisión Económica para América Latina (CEPAL), dirigida por el economista argentino Raúl Prebish. La Comisión constató el desequilibrio de los intercambios entre los países industrializados de Latinoamérica y la dependencia que llevaba consigo; preconizó las reformas estructurales, en especial de la propiedad territorial; una industrialización basada en las necesidades internas, con un cierto proteccionismo, así como la formación de mercados comunes que armonizasen los intercambios y que pusieran al subcontinente a resguardo de las fluctuaciones del mercado mundial.

Eran necesarias nuevas inversiones y se carecía de capitales nacionales. Se recurrió a empréstitos de los grandes bancos y organismos financieros internacionales que habían sido creados después de la Segunda Guerra Mundial para relanzar la economía y el desarrollo: el Fondo Monetario Internacional (FMI), creado en 1944 para ayudar a los países que se encontraban temporalmente con desequilibrio comercial; el Banco Mundial o Banco Internacional para la Reconstrucción y el Desarrollo (BIRD), institución crediticia creada igualmente en 1944; el Banco Interamericano de Desarrollo (BID), establecido en 1959 para acelerar los procesos de desarrollo de los países americanos. No obstante, estos préstamos oficiales se articulaban a menudo en forma de créditos para la adquisición de productos fabricados en los países desarrollados y se destinaban menos a la ayuda de los países beneficiarios que a las economías de los inversores.

3.3. Los bloqueos

De hecho, la recuperación de los países industriales desde finales de los años 50 provocó el estancamiento y luego la recesión del proceso de crecimiento económico latinoamericano y el deterioro de los objetivos del intercambio. El precio de los bienes exportados aumentó menos que el de los productos industriales importados, y el saldo de las balanzas comerciales se volvió muy negativo.

Al mismo tiempo, el contexto de «guerra fría» entre países capitalistas y socialistas llevó a Estados Unidos a cuidar especialmente sus inversiones y a afianzar sus lazos comerciales con el subcontinente, en particular con América Central y los países del Caribe, que se habían convertido en lo que se ha denominado a veces «el patio trasero» de la gran potencia, ampliamente dominados por los intereses económicos norteamericanos. De esta situación neocolonial nació la revolución cubana, que expropió las empresas norteamericanas y recuperó la riqueza del país. El impacto de esta revolución fue enorme, y el riesgo de contagio en toda América Latina apareció como una amenaza para los intereses norteamericanos.

En esta situación, el gobierno del joven presidente de Estados Unidos John Fitzgerald Kennedy se propuso vaciar de contenido los focos revolucionarios con el relanzamiento de la política de desarrollo de la CEPAL: una Conferencia reunida en Punta del Este en 1961 creó la Alianza para el Progreso, cuyo objetivo era aumentar el nivel de vida de los países mediante planes de desarrollo, reactivando las políticas económicas comunes por medio de subvenciones a los países más pobres y manipulando los mercados mundiales. Las esperanzas surgidas de esta iniciativa duraron muy poco, y el asesinato de Kennedy les dio el golpe de gracia. En efecto, su sucesor abandonó esta política de cooperación para asegurarse de nuevo el control de las materias primas y la garantía de los intereses norteamericanos promoviendo gobiernos dictatoriales, capaces de mantener el orden y la estabilidad necesarios. El dominio de las grandes sociedades industriales, las multinacionales, se vio incrementado. Al imponerse las opciones de los sectores inversores, éstos se hicieron con el control económico y político. Se ha visto, por ejemplo, a las filiales de las empresas automovilísticas asentarse en los países en los que la formación de clases medias les proporciona una clientela segura: Volkswagen, en Brasil desde 1963 y en México; General Motors y Ford, también en Brasil y México. Así, muy pronto se habló del «milagro brasileño», y, tutelados por gobiernos autoritarios, México y Argentina salieron del subdesarrollo al tiempo que Brasil.

Este desarrollo espectacular tenía, sin embargo, como contrapartida no sólo una rígida dependencia de los centros financieros internacionales y grandes desequilibrios regionales, sino también una considerable deuda externa destinada a financiar bienes de equipo para la industria.

4. La deuda exterior

4.1. Formación de la deuda

En los años de la posguerra, el desarrollo estaba a la orden del día en América Latina, sobre todo en los países grandes. La riqueza del subcontinente en materias primas diversificadas y muy apreciadas; su potencial humano, que garantizaba una mano de obra abundante; los interesantes mercados y sus relaciones con Occidente parecían ofrecer mayores posibilidades de crecimiento que a las regiones subdesarrolladas de África y Asia, con más dinamización de los intercambios internacionales.

Este desarrollo aumentó a finales de los años 60 y durante los 70. En las principales economías latinoamericanas —Brasil, México, Argentina— la expansión de la producción de bienes duraderos y de equipo exigía la importación de maquinaria compleja y costosa que las economías locales no estaban en condiciones de producir.

Es significativo el caso de México: en 1974 se descubrieron grandes yacimientos de petróleo que lo iban a situar a la cabeza de los países productores, el cuarto después de la URSS, Arabia Saudita y Estados Unidos. Esta riqueza repentina despertó grandes esperanzas, tanto más cuanto que México, en 1938, había nacionalizado su petróleo y, por tanto, no podía ser vendido por compañías extranjeras. Pero para explotar este petróleo *off-shore* (submarino) se necesitaban grandes instalaciones —plataformas de extracción, refinerías, gasoductos, plantas petroquímicas— y, por tanto, grandes inversiones. Las posibilidades nacionales eran insuficientes, a pesar de la desviación de los créditos destinados a otros sectores como la agricultura de subsistencia, víctima de la prosperidad petrolera. Ahora bien, esta fuente de energía estaba en alza después del primer conflicto del petróleo de 1973, y la nueva imagen de un México aparentemente próspero y solvente atrajo los créditos bancarios internacionales necesarios para equiparlo. Procesos similares aparecieron en otros países de la región en vías de industrialización, pero el endeudamiento financió, a veces, proyectos «faraónicos» de interés discutible —grandes presas, centrales hidroeléctricas o nucleares— e incluso el armamento de las dictaduras.

Diversos factores concurrieron en la inyección de capitales en las economías latinoamericanas. En primer lugar, la rápida subida de los ingresos del petróleo en el conjunto del mercado mundial después de 1973 se tradujo en una sobreabundancia de liquidez disponible, los petrodólares, que favorecía la apertura de líneas de crédito; por otra parte, el mundo occidental sufría un descenso de la demanda interna y, en consecuencia, causaba una superproducción. Ahora bien, los

préstamos proporcionaban a los países beneficiarios los medios para convertirse en clientes de las industrias occidentales y así atenuar los efectos de esta crisis. De 1974 a 1978, los bancos comerciales aumentaron sus préstamos internacionales de 280 a 900 millones de dólares.

En 1982 se evidenció la amplitud del desastre. México, que había acumulado una deuda de 81.000 millones de dólares, se declaró en suspensión de pagos. Los otros países del subcontinente no estaban en mejor situación: Brasil había pedido prestados 70.000 millones de dólares, Argentina 40, Venezuela 35, Chile 15, Perú 10. Es cierto que todos los países viven a crédito, y los mismos Estados Unidos tienen contraída una elevada deuda y padecen un enorme déficit presupuestario, pero están garantizados por una moneda fuerte y por el potencial del país más rico del mundo. Éste no es el caso de América Latina.

¿Cómo se llegó a esta situación? Los capitales prestados, traducidos en dólares, lo habían sido a un tipo de interés moderado y en una época en la que el valor de las exportaciones que garantizaban la devolución estaba en alza. Todo cambió a partir de 1981: la recesión mundial había aumentado la cotización del dólar y los tipos de interés, mientras que la reducción de las importaciones en los países industriales provocaba el abaratamiento de las materias primas, salvo el petróleo, lo que agravaba la situación de los países importadores como Brasil. Desde entonces, la acumulación de la deuda se disparó y siguió aumentando en los años siguientes: en 1990 Brasil debía 114,5 miles de millones de dólares, México 101,5, Argentina

58,9, y el total de la deuda de América Latina sobrepasaba los 420.000 millones de dólares.

Los países deudores no eran el único motivo de preocupación. Los préstamos habían sido concedidos sobre todo por los bancos comerciales internacionales, estrechamente ligados a las empresas y al ahorro público; por ello, la posible quiebra mexicana amenazaba con arrastrar de rebote la de todo el sistema financiero internacional. Así pues, era necesario encontrar soluciones.

4.2. Búsqueda de soluciones: políticas de ajuste

Se acudió a las grandes organizaciones financieras —Banco Mundial, Fondo Monetario Internacional— para negociar la deuda y evitar la catástrofe. El FMI, cuyos recursos se nutren de las aportaciones de los 148 estados miembros de forma proporcional según su riqueza, desempeña la función de prestamista para los países con dificultades, pero exige como garantía severas medidas de ajuste que permitan la devolución de estos nuevos préstamos: devaluación de la moneda, congelación de salarios con el fin de favorecer las exportaciones, descenso de las importaciones para desprenderse de los excedentes comerciales, recortes en los programas sociales y subvenciones a los productos de primera necesidad (especialmente los alimenticios), medidas muy duras en el plano social y conocidas bajo la expresión de «política de austeridad», y que tienen como corolario un fuerte descenso del empleo, un recorte de los gastos sociales y, en consecuencia, el aumento de las desigualdades. Así Brasil, que en los años 70

tenía un déficit anual en su balanza comercial de 1.500 millones de dólares, disponía por el contrario en 1988 de un excedente de 19.000 millones, y desde 1983 los gastos salariales del Estado se redujeron en un 15 %; pudo, por tanto, hacer frente a sus obligaciones con la deuda (pago de los intereses), lo que le valió un certificado de satisfacción de sus acreedores. México, otro «buen alumno» del FMI, destinó las subvenciones de la agricultura previstas para el consumo interno a fomentar la producción de artículos de lujo y de exportación, de un alto rendimiento en divisas; y entonces, paradójicamente, tuvo que importar maíz y otros productos básicos, los cuales se encarecieron así para el consumidor, que vio cómo descendía su nivel de vida.

Pero si los préstamos concedidos por el FMI permitían asegurar el pago de la deuda, los países deudores eran todavía incapaces de devolver el capital de esa deuda, que tenía un efecto acumulativo. Se tomaron entonces otras medidas.

4.3. El Plan Baker

En 1985, el Plan Baker —del nombre del entonces secretario del Tesoro norteamericano— concedió nuevos créditos a los países endeudados con el fin de relanzar su desarrollo y, en consecuencia, su capacidad de reembolso. Este plan venía a aumentar el montante de la deuda, y fue un fracaso. El peso del pago de la deuda se hacía insoportable, y América Latina, que tenía que devolver en intereses acumulados más de lo que recibía de los nuevos fondos, se convirtió en «exportadora de capitales»; en los años 80, este flujo ascendió a 223.000 millones de dólares, según el presidente del BID [1]. Como consecuencia de las políticas de austeridad, la renta media por habitante se redujo una media del 8,3 % —y hasta en un 20 % en algunos países como Perú— para descender a su nivel de los años 70; por esta razón se denomina «decenio perdido» a los años 80. Los reajustes económicos, Plan Austral de 1985 en Argentina y Plan Cruzado de 1986 en Brasil, aumentaron el paro y la escasez, y pudieron verse escenas de pillaje en tiendas de Río de Janeiro, Caracas y Buenos Aires. Es significativo que en estas regiones, no obstante relativamente desarrolladas, incluso las clases medias se vieron afectadas. Los programas de educación, salud y ayudas a la alimentación sufrieron fuertes recortes, y la explosión social que estalló en muchos puntos amenazó la estabilidad política. Menos espectacular, pero más grave todavía, la reducción de las inversiones internas en el tejido productivo socavó gravemente el potencial de desarrollo y las perspectivas de futuro crecimiento. Muchas voces se alzaron para rechazar un sacrificio de las necesidades de la población al que no se le veía fin: en Perú, el presidente Alan García declaró que el pago de los intereses de la deuda no sobrepasaría el 10 % del total de las exportaciones; en Cuba, Fidel Castro habló claramente de cancelar la deuda.

de liberación de la deuda que suponían, a diferencia del plan de 1985, una reducción de su montante.

El mecanismo es el siguiente: una empresa que desea invertir en un país determinado compra a un banco de crédito títulos de su deuda, con un descuento; inmediatamente los presenta ante el gobierno del país deudor, que se los compra en moneda nacional; entonces la empresa utiliza estos fondos para financiar las inversiones previstas. México, Bolivia, Chile y Brasil han podido así reducir el volumen de su deuda, transformada parcialmente en participaciones en empresas (desde luego, de entre las más rentables de la economía nacional, aunque es justo subrayar que entre los proyectos así financiados figuran programas ecológicos de preservación de la naturaleza y del medio ambiente).

A veces esta entrada de capitales extranjeros es masiva, como en Chile; sin embargo, el efecto global del Plan Brady se quedó corto en relación con la deuda total de América Latina: de 472.000 millones de dólares en 1987, era todavía de 451.000 millones a finales de 1992. Su costo social es muy elevado, ya que vuelve a plantear la reducción del consumo, mientras que la conversión de la deuda acelera el proceso de desnacionalización y privatización de las economías.

4.4. El Plan Brady

En 1988, el Plan Brady —así llamado por el apellido del nuevo secretario del Tesoro norteamericano— cambió radicalmente. Preveía modalidades

5. El neoliberalismo

5.1. Privatizaciones y desnacionalizaciones

Efectivamente, las economías latinoamericanas se caracteri-

---

[1] *Anuario Iberoamericano 92*, p. 435.

zan, en este fin de siglo, por una apertura creciente al exterior. El problema de la deuda, veinte años después de su aparición, si aún es grave, parece preocupar menos a los medios financieros que la reducción del PIB y el retraso acumulado con respecto a los países desarrollados.

Las industrias latinoamericanas nacieron fundamentalmente a la sombra de regímenes populistas, en los años 40. Sus producciones, vulnerables, no han podido enfrentarse a la competencia de los países desarrollados más que gracias a un cierto proteccionismo: elevados aranceles, apoyo del Estado. También el sector público y la mayoría de sus asalariados eran muy importantes, sobre todo en las infraestructuras, la energía, la industria pesada y los servicios.

Pero ahora que emerge una economía mundial, no parece que América Latina pueda permanecer aislada y debe integrarse en los cambios internacionales. En lo sucesivo, las reformas llevadas a cabo bajo la influencia de las políticas económicas neoliberales de Thatcher en Gran Bretaña y del presidente Reagan en Estados Unidos persiguen la competitividad y la estabilidad. Para sanear las economías, preconizan la supresión de trabas a los mecanismos de mercado, la limitación del Estado, la promoción de las exportaciones mediante la reducción de las tarifas aduaneras, la privatización de empresas públicas, que en su mayoría están hoy anticuadas y endeudadas.

En Chile, esta desnacionalización ampliamente emprendida bajo la dictadura militar (1973-1990) por los *Chicago Boys*, economistas de inspiración liberal, es muy profunda.

Paradójicamente, en Argentina ha sido realizada sobre todo por el presidente Menem, elegido en 1989 bajo la bandera del populismo peronista. Esta política atañe a las empresas de electricidad, gas, petróleo, teléfono, televisión, la compañía aérea Aerolíneas Argentinas (adquirida por un grupo financiero en el que ocupa un lugar importante la sociedad española Iberia). Los ferrocarriles, construidos por Gran Bretaña y Francia para exportar carnes y pieles, se nacionalizaron en 1947; incapaces de soportar la competencia del transporte por carretera, se privatizaron en 1993; se han cerrado veinticinco líneas que unían la capital con las provincias del interior y 27.000 de sus empleados han sido despedidos. Y ahora planea la amenaza de privatización sobre la Seguridad Social.

En Venezuela, igualmente se han privatizado bancos y telecomunicaciones, y la compañía aérea Viasa pasó en 1990 a ser controlada por Iberia; México ha vendido 300 empresas, incluso algunas del sector bancario; en Perú, el mismo proceso ha llevado al paro a entre 300.000 y 500.000 trabajadores.

La reducción de las barreras aduaneras tiene, por otra parte, el efecto de un aumento de las importaciones —Estados Unidos, Japón, CEE— que enriquece a Panamá —su PNB ha crecido un 10 % por año desde 1991—, y especialmente la zona franca de Colón, salida atlántica del canal y el puerto de tránsito de mercancías más importante de toda América Latina.

5.2. Consecuencias del neoliberalismo

Es un hecho que las políticas de austeridad y privatización

45

han permitido una recuperación en términos macroeconómicos, como muestran los diferentes índices de 1992, si se evalúan con perspectiva. Mientras que entre 1981 y 1991 el producto por habitante disminuyó en un 8,1 % en América Latina, aumentó en un 0,5 % en 1992, y el PIB ha conocido un crecimiento del 2,4 %. Las tasas de inflación han permanecido bajo control en la mayoría de los países de la zona; el ejemplo de Argentina es espectacular: la subida de precios, que era del 2.341 % en 1990, ya no era más que del 172 % en 1991 y del 17,5 % en 1992 [2]. Por primera vez desde 1983, asistimos a una transferencia positiva de capitales, con repatriación de capitales nacionales, un signo de confianza.

De todos modos, estos resultados están vinculados a la ortodoxia de las políticas adoptadas. Destacan especialmente en los países que han aplicado las políticas de ajuste más severas: Chile y Argentina. Por el contrario, Brasil, que durante mucho tiempo dudó en seguir esta vía, no ha iniciado la recuperación más que en 1993. El crecimiento es igualmente importante en los países exportadores de petróleo: México, Venezuela, Bolivia, Colombia, Ecuador e incluso Perú (cuyo PIB ha pasado de −12,8 % en 1989 a +2 % en 1991). En cambio, todavía es negativo o aumenta poco en los países pequeños de escaso potencial económico de las Antillas o de América Central: Haití, República Dominicana, Honduras, Nicaragua.

Estas desigualdades en el desarrollo muestran los límites y la fragilidad de este crecimiento. También se advierte que si nuevas inversiones dinamizan la economía, son los antiguos sectores públicos, privatizados y desnacionalizados, los que se benefician; por contra, estas inversiones no han entrado en los sectores productivos destinados a la exportación y al consumo: la participación de América Latina en el comercio mundial, que era del 5,6 % en 1980 no llegaba más que al 3,5 % al final de la década. Las exportaciones latinoamericanas se enfrentan a diversos obstáculos. Tras el liberalismo proclamado por los países desarrollados persisten prácticas proteccionistas, en aumento por la recesión mundial y por las pugnas de influencia que se libran en los grandes bloques económicos: Estados Unidos, Japón, CEE. En Estados Unidos, el presidente demócrata Clinton, elegido a finales de 1992, podría mostrarse más proteccionista que sus predecesores republicanos, y de esa forma poner en peligro el relanzamiento económico.

También América Latina busca un marco para las estrategias de integración.

6. La integración económica

La búsqueda de una unidad de acción de los países latinoamericanos, tanto en el plano económico como en el político, no es nueva. En efecto, es obvio que la fragmentación del subcontinente propicia su vulnerabilidad, frente a la cohesión que es la fuerza de Estados Unidos.

---

[1] Estas cifras, que provienen de la CEPAL, se citan en *El País* de Madrid y en *Le Monde* de París.

6.1. Primeras etapas

En la época de la independencia, el libertador Bolívar había intentado unificar la América ibérica convocando a las nuevas naciones a un Congreso en Panamá, en 1826. Pero la fuerza centrífuga de la tradición colonial y los poderes locales impidieron su realización, lo mismo que los esfuerzos de Gran Bretaña y Estados Unidos, que podían controlar más fácilmente una zona desunida.

Las iniciativas de la integración continental no aparecieron de nuevo hasta finales del siglo XIX, y esta vez bajo los auspicios de Estados Unidos: la Primera Conferencia Panamericana de 1888 tenía como objetivo la creación de una unión aduanera que favoreciese el comercio norteamericano y permitiese a Estados Unidos disputar a Gran Bretaña su predominio económico, lo que iba a conseguir en los primeros años del siglo XX. Ya no quedaba nada del proyecto emancipador de Bolívar por el que lucharon un cierto número de intelectuales: José Martí en Cuba, Manuel Ugarte en Argentina, Víctor Haya de la Torre en Perú. De hecho, el crecimiento del comercio internacional que en la primera mitad del siglo XX había hecho jugar a América Latina el papel de exportadora de materias primas, se hizo bajo el control de la nueva primera potencia mundial, Estados Unidos, por medio de mecanismos que veremos en el capítulo 6.

Con todo, en este marco surgieron tentativas de integración latinoamericanas: la Asociación Latinoamericana de Libre Comercio (ALALC, creada en 1960 y luego convertida en ALADI en 1980) y el Mercado Común Centroamericano (MCCA, creado en 1961). Pero estas asociaciones nunca tuvieron resultados efectivos, como tampoco los organismos creados posteriormente: el Pacto Andino (1969), el Sistema Económico latinoamericano (SELA, 1975) y diversos organismos especializados. El apartado de intercambios entre los países de la zona es insignificante en comparación con su comercio exterior, y en especial con Estados Unidos (11 % en 1989), lo que podría explicar, en parte, la similitud de sus economías. Las políticas de ajuste como consecuencia de la deuda —reducción de las importaciones y descenso de la demanda— hicieron disminuir más los intercambios interregionales.

6.2. Nuevas estrategias

En este contexto es en el que han surgido en este final de siglo los nuevos esfuerzos de integración, favorecidos por orientaciones económicas comunes y por la vuelta a regímenes civiles después de un periodo de dictaduras militares.

Estados Unidos, amenazado en su supremacía por el dinamismo de Japón y el peso económico de la CEE, busca fortalecer su posición en el continente americano. En agosto de 1992, el Tratado de Libre Comercio (TLC, en inglés North American Free Trade Agreement: NAFTA) prevé la integración gradual de México en la alianza económica firmada en 1987 entre Estados Unidos y Canadá, creando así el mercado más importante del mundo, con 360 millones de consumidores, lo que debería dinamizar los mutuos intercambios (sin embargo, México se niega todavía a la desnacionalización de PEMEX, su empresa petrolífera, de gran valor simbólico, para incluirla en los acuerdos).

Este tratado no sólo tiene partidarios; ciertos sectores acusan a México de dar un golpe a la integración específicamente latinoamericana, haciéndole el juego a intereses extranjeros. Debe observarse que existen grandes desequilibrios entre México y sus socios; la mano de obra mexicana; por ejemplo, es ocho veces más barata que la norteamericana. Cuesta 1,80 dólares la hora en México, y 16,02 dólares y 14,77 dólares en Canadá y Estados Unidos [3]. Así, los obreros norteamericanos podrían llegar a ser las víctimas del tratado si las empresas en que trabajan decidiesen instalarse en territorio mexicano para aprovecharse de un mercado de trabajo más favorable. Este proceso ya está en marcha con las *maquiladoras*, talleres de subcontratación —que pueden compararse a los de Taiwan y Hong-Kong— creados a partir de los años 60 a lo largo de la frontera entre México y Estados Unidos para intentar atajar la inmigración clandestina. Se benefician de un régimen asimilable al libre comercio, ya que importan libre de impuestos maquinaria norteamericana para reexpedir a Estados Unidos los productos transformados con un simple impuesto sobre el valor añadido. En 1991, 1.750 *maquiladoras*, en sus dos tercios norteamericanas, ocupaban a 450.000 trabajadores (en gran parte mujeres).

Con el tiempo, estas alianzas podrían ser el primer paso hacia una integración continental desde Alaska hasta la Tierra del Fuego, como pretendiera la ambiciosa Iniciativa para las Américas anunciada por el presidente Bush en 1990. Desde ahora los intercambios comerciales y las inversiones crecen gracias a acuerdos bilaterales entre Estados Unidos y Chile —país considerado como el más avanzado en materia de libre comercio, que podría convertirse, como México, en socio privilegiado de Estados Unidos—, pero también con los otros países de América Latina, y sobre todo los que han formado el Mercosur.

Ese futuro mercado común del cono sur, constituido en 1991, debe entrar en vigor en 1995; económicamente es muy importante, ya que reagrupa a Brasil, Argentina, Uruguay y Paraguay, o sea el 70 % del territorio de América del Sur y más del 50 % de la población y del PIB de América Latina. Sin embargo, se observa que los distintos asociados no lo están en pie de igualdad; si las rentas por habitante de Brasil y Argentina son parecidas, Brasil tiene más de 140 millones de habitantes, mientras que Argentina no tiene más de 30. Lejos ya están Paraguay, con un mercado potencial de 4 millones de personas, y Uruguay, con 3 millones de habitantes. No es fácil la homologación entre países cuyo nivel tecnológico e industrial es por otra parte muy distinto, y es significativo que Chile, parte perceptora de este conjunto geográfico, prefiere, dado su avance económico, actuar con cierta independencia.

Paralelamente, Bolivia, Perú, Ecuador, Colombia y Venezuela han emprendido también la constitución del Pacto Andino, que deberá entrar en vigor en 1995, y a comienzos de 1993 los nuevos presidentes de México, Colombia, Venezuela y países de América Central te-

---

[3] *El País*, 13-8-1992.

nían el proyecto de crear una amplia zona de libre comercio que debería estimular los intercambios mutuos.

Esta búsqueda de reglas comerciales comunes parece que va a significar crecimiento, pero su concreto cumplimiento es todavía problemático; puede paralizarse a causa de las coyunturas políticas, como muestra la retirada de Perú a causa del golpe de Estado civil del presidente Fujimori (ver capítulo 6). Por otra parte, si la integración latinoamericana intenta aumentar la capacidad de negociación de la región frente a Estados Unidos, no es seguro que las diferencias entre países relativamente ricos y más pobres no fortalezcan la hegemonía de la gran potencia. Es extremadamente importante lo que está en juego, ya que América Latina es, con gran diferencia, el primer socio económico de Estados Unidos, de quien se teme la vuelta al proteccionismo.

Por eso América Latina se vuelve también hacia Europa, aun cuando sus intercambios sean todavía escasos. La cumbre que reunió en Guadalajara (México) en 1991 a diecinueve jefes de Estado iberoamericanos, al jefe del Gobierno español, Felipe González, y al presidente portugués, Mario Soares —la del 92, año del quinto centenario, tuvo lugar en Madrid—, ha confirmado que existe una identidad cultural entre los países americanos y sus antiguas metrópolis; pero también se ha puesto de manifiesto que estas últimas podrían servir de nexo de unión entre la UE y América Latina, siempre y cuando no se produzcan conflictos de intereses, nunca descartables, como lo demuestra la preferencia de la UE por los plátanos procedentes de las provincias francesas de ultramar, en detrimento de los de América Central.

Pero, por otro lado, si el crecimiento relativo del subcontinente y el lugar que ocupa en los intercambios internacionales han transformado la región, desde comienzos del siglo, en una «clase media» del orden internacional más desarrollada que las antiguas colonias europeas de África y de Asia, sus enormes desequilibrios sociales y sus flagrantes injusticias de origen colonial se han acentuado sin duda bajo el imperio de la deuda y las reformas neoliberales.

5. LAS SOCIEDADES LATINOAMERICANAS

A comienzos de los años 90, los economistas destacan éxitos en materia de saneamiento macroeconómico, pero se estima que estos esfuerzos se han realizado a un coste social muy alto. En abril de 1993, el presidente del Banco Interamericano de Desarrollo invitó a los estados de América Latina a «destruir el muro de la pobreza»[1]. La apertura económica y los planes de austeridad dictados por el FMI provocan fuertes tensiones sociales: por ejemplo, el consumo ha descendido un 13 % entre 1980 y 1990, lo que conlleva grandes riesgos para la estabilidad política y evidencia las consecuencias sociales del «decenio perdido».

1. Los efectos del «decenio perdido»

El relativo desarrollo de América Latina, desde mediados de nuestro siglo, había permitido una notable mejora de los niveles de vida: entre 1960 y 1980, el porcentaje de población afectada por situaciones llamadas de pobreza (sobre todo se encontraba en sectores rurales) había pasado del 50 % al 33 %. A partir de 1980, el movimiento se invierte para iniciar una clara regresión: el 39 % de las familias vivían por debajo del umbral de la pobreza en 1985, el 46 % en 1992; en 1993, la CEPAL censó 196 millones de pobres en América Latina, o sea, cerca de uno por cada dos habitantes.

El concepto de pobreza se utiliza cuando la importancia de las tasas de paro y de subempleo hace inoperantes las categorías sociales tradicionales. Se habla de *pobreza* cuando las rentas familiares son insuficientes para satisfacer las necesidades mínimas: alimentación, vivienda, salud, educación, vestido. Cuando estas rentas no permiten cubrir las meras necesidades alimenticias, se habla de pobreza extrema o de indigencia; es el caso de la mitad del conjunto de pobres en América Latina.

El «decenio perdido» sin duda ha acrecentado las desigualdades en la distribución de las rentas, ha reducido el empleo industrial no cualificado y ha proletarizado a las clases medias, al impulsar a una parte importante de la población a la economía denominada sumergida (trabajo clandestino). El paro se experimenta con mayor crudeza en cuanto que la cobertura social en América Latina es muy limitada y no existe subsidio de paro; los parados

[1] *Le Monde*, 1-4-1993.

se transforman en artesanos o en pequeños comerciantes ambulantes que invaden las calles céntricas de las grandes ciudades, como Lima o México.

Es significativo que la pobreza se vaya incrementando en los últimos tiempos en las zonas urbanas.

Estas situaciones conllevan una degradación de las condiciones de vida, pero también de los valores morales; los bajos salarios favorecen la delincuencia y la corrupción (por ejemplo, en los funcionarios de policía, que practican a veces lo que en México se llama *mordida*). Las clases adineradas a menudo prefieren la especulación y la fuga de capitales a las actividades legales, privando así al Estado de ingresos fiscales.

Uno de los países donde estos problemas sociales destacan de forma nítida es Perú. El 70 % de la población puede considerarse «pobre». En 1990, después del plan de ajuste económico del presidente Fujimori, calificado de *Fujichoc*, el salario mínimo —del que se beneficia sólo un 10 % de la población— se ha fijado en 40 dólares, que equivale a una quinta parte de la «cesta de la compra»; el precio del pan se ha multiplicado por 12, y el de los carburantes por 31. También son muy numerosos los peruanos que no disponen del mínimo vital de calorías y proteínas y, a causa de la malnutrición y el hundimiento del sistema sanitario —en especial las campañas de vacunación—, han reaparecido enfermedades que se creía erradicadas: cólera, tuberculosis, paludismo, lepra... Los niños son los más afectados; las tasas de mortalidad infantil se han incrementado, y los que logran sobrevivir no pueden desarrollarse con normalidad; gran número de ellos han dejado la escuela para dedicarse a la mendicidad, cantar o vender baratijas en las calles y así poder aportar recursos complementarios a sus familias.

Estas situaciones no se dan sólo en Perú, como demuestra la epidemia de cólera que apareció allí en enero de 1991. Esta enfermedad puede hoy evitarse fácilmente con medidas de higiene elementales; pero, surgida en los lugares más desfavorecidos por la utilización de agua contaminada, se desarrolló a causa de la pobreza, las difíciles condiciones de vida, la desnutrición. Alcanzó Ecuador rápidamente, así como Colombia, Brasil, Chile, Argentina; se detectaron casos hasta en México e incluso en Estados Unidos, sumando unos 324.000 enfermos y miles de muertos entre los más pobres.

Estas observaciones, que son globalmente válidas, requieren, en todo caso, algunas precisiones:

• Primero, existen grandes desequilibrios entre sociedades relativamente desarrolladas y sociedades arcaicas.

• Pueden encontrarse estos desequilibrios en el plano interno: algunos grupos sociales privilegiados han podido mantener o incluso aumentar su nivel de vida, mientras que la mayoría ha debido reducirlo.

• Por último, las regiones, desigualmente beneficiadas, presentan profundas diferencias, en especial entre ciudades y medio rural, lo que provoca importantes movimientos de población.

2. Los desequilibrios continentales

A partir de los años 40, como ya se ha visto, las políticas de sustitución de las importaciones permitieron el despegue de países que tenían los recursos necesarios para el desarrollo y contaban con el suficiente número de habitantes para proveer a la vez de mano de obra industrial y un mercado de consumidores para la producción interna. Así se creó en esos países un efecto de arrastre: el desarrollo del consumo impulsó la creación de un sector de «servicios» a partir del cual se formaron las clases medias de empleados y comerciantes, cuya promoción, a su vez, dinamizó la producción y el crecimiento. De forma paralela aparecieron «polos de desarrollo», y especialmente la urbanización progresó de una forma considerable. Este proceso avanzó y se interrumpió a merced de las coyunturas, pero, en los años 90, es en esos países más industrializados —Brasil, México, Chile, Argentina, Colombia, Venezuela—, pero también en Uruguay, Costa Rica o Panamá, donde se encuentran sociedades de desarrollo intermedio, en las que el nivel medio de ingresos no está lejos del de los países europeos menos desarrollados: Portugal, Hungría... Paraguay, Ecuador y Perú han conocido un crecimiento menor.

Por el contrario, los pequeños países poco habitados del Caribe o de América Central han soportado peor los escollos de la dependencia; la falta de diversificación de recursos, la debilidad del mercado interno y el peso de los bloqueos coloniales sobre poblaciones explotadas y marginadas han frenado el crecimiento y su efecto de arrastre: el sector servicios permanece reducido, se han modificado poco las estructuras sociales. Entre ellos se encuentra uno de los países más pobres del planeta, Haití, donde la media de renta anual era de 370 dólares en 1990 (ver cuadro 4 en el anexo), muy próxima a los países más subdesarrollados de Asia y de África, como Benín o Pakistán. Nicaragua, Guatemala, Honduras, El Salvador, República Dominicana, así como Bolivia en la zona andina, también tienen índices bajísimos.

A desiguales niveles de desarrollo corresponden sociedades diferentes, que se pueden estudiar a partir de los indicadores económicos y sociales suministrados por los grandes organismos internacionales (ver cuadros del 1 al 5 en el anexo). Sin embargo, debe tenerse en cuenta, al analizar estas estadísticas, que tienen un sentido relativo; se trata de medias poco significativas en países con características dualistas, es decir, donde coexisten desigualdades de rentas y de desarrollo muy marcadas entre sectores privilegiados y marginales. La media de médicos o de camas por hospital, por ejemplo, no debe hacernos olvidar que los establecimientos de salud están muy concentrados en las ciudades, siendo muy escasos en el medio rural.

2.1. Sociedades «arcaicas»

En los países más desfavorecidos de América Central y del Caribe, y en menor medida de los Andes, la renta media por habitante (PIB/hab.) era, en el año 1990, inferior a 1.000 dólares (en España es de 12.610 dólares y 21.806 dólares en Estados Unidos). La estructura de la población activa (EPA, ver cuadro 4) muestra que la mayoría de los asalariados —del 45 al 60 %— trabajan en la agricultura (que no emplea a más del 12 % de la EPA española y el 2,8 % de la EPA norteamericana). Se trata, pues, de sociedades todavía muy rurales y por tanto poco modernizadas —el sector industrial y terciario es todavía escaso—, lo que acarrea numerosas dificultades al desarrollo. Se observa también que la evolución negativa del PIB por habitante en el «decenio perdido» se ha notado con todo su dramatismo, y algunos de estos países pueden llegar a tener un 80 % de «pobres» (Haití, Bolivia, Honduras).

También es en estas sociedades donde los índices demográficos son más desfavorables: el aumento de la población es muy rápido, con una tasa de crecimiento a veces superior al 3 % por año, mientras que las rentas, por el contrario, disminuyen. Las tasas de natalidad son muy altas, ya que cada año nacen 40 niños por cada mil habitantes, y las mujeres tienen una media de 5 a 6 hijos y a veces muchos más (las causas económicas y morales de esta tasa de fecundidad se han estudiado en el capítulo 2). Paralelamente, se encuentran allí los peores índices de mortalidad, especialmente la infantil (más de 110 recién nacidos por 1.000 nacimientos en Bolivia). Uno de los primeros factores que lo explican son las deficientes estructuras sanitarias: a veces menos de una cama hospitalaria por cada 1.000 habitantes y un reducidísimo número de médicos (ver cuadro 5).

Por otra parte, el insuficiente nivel de educación produce una proporción de analfabetos que a veces llega a la mitad de la población, como en Haití o Guatemala. En estas sociedades tan tradicionales son las mujeres, más que los hombres, las privadas de educación: un 52,9 % de mujeres son analfabetas en Guatemala, por un 36,9 % de hombres. Este factor tiene consecuencias muy graves: margina a la mujer impidiéndole su integración en las estructuras sociales, en el mercado de trabajo sobre todo, en igualdad con los hombres; perpetúa mentalidades tradicionalistas —por ejemplo, resignación a la «fatalidad» de los nacimientos no deseados— que permiten su explotación y la de grupos sociales muy importantes.

2.2. Sociedades de desarrollo intermedio

La progresión de los países que han conocido, en el siglo XX, cierto desarrollo económico es también evidente en los indicadores socioeconómicos. Aunque muy alejado del de los países occidentales desarrollados, su PIB/hab. está comprendido entre 1.500 y 3.000 dólares en 1990. El sector agrario es, desde luego, más reducido que en los países «arcaicos» —entre 13 y 17 %— y, más aún que el desarrollo industrial, se puede ver un crecimiento del sector terciario, los servicios, que alcanzan casi el 60 % en Chile. Estos índices se traducen, en concreto, por una considerable urbanización. Sin embargo, el impacto del «decenio perdido» sobre el PIB se aprecia considerablemente, salvo en Chile, que entró demasiado pronto en la economía liberal, y en Colombia, probablemente bajo los efectos de la «economía de la droga».

Hay pobreza, pero los sectores de salud y educación han mejorado globalmente; la proporción de analfabetos es inferior al 13 % —con excepción de Brasil, donde hay un 18,9 %— e incluso se puede comparar a la de los países occidentales en Venezuela y en el cono sur, zona de inmigración europea. También los índices demográficos se aproximan a los de las naciones desarrolladas: tasas de crecimiento demográfico de alrededor del 2 % o menos —Argentina, Chile, Uruguay— con índices de natalidad y mortalidad en descenso y mayor esperanza de vida; si el número de hijos por familia es superior a tres en Venezuela, México, Brasil y Colombia se debe sobre todo a la enorme lentitud en la evolución de las formas de pensar, sobre todo en los medios rurales en donde todavía es muy grande la influencia de la tradición y de la Iglesia, así como a la escasez de medios anticonceptivos. De todas formas, las estadísticas denotan un cambio gradual en estos campos después de 1975.

Debe destacarse que si Cuba pertenece geográfica y sociológicamente al grupo de países menos desarrollados, los mejores resultados de la revolución —que se abordan en el capítulo 6— se reflejan en sus índices de educación y sanidad de 1990, ya que la tasa de analfabetismo (6 %) y el número de camas de hospital (7,2 por cada 100 habitantes) y de médicos (1 por cada 333 habitantes) eran los más satisfactorios del continente, así como los índices de mortalidad, sobre todo infantil; la media de hijos por mujer (dos) es la más baja de América Latina. Sin embargo, el «periodo especial» en el que Cuba está inmersa desde el fin de la ayuda soviética puede hacer peligrar estos resultados. La revolución sandinista en Nicaragua realizó grandes esfuerzos en estos campos, pero la guerra civil no ha permitido alcanzar el éxito deseado.

Debe recordarse que se trata de características globales de las diversas regiones latinoamericanas; las peculiaridades del desarrollo económico que las ha impulsado no han permitido que surjan sociedades homogéneas y, muy al contrario, han acentuado las desigualdades internas.

3. Los desequilibrios internos

El crecimiento, cuando se produce de forma significativa, no tiene la suficiente fuerza de arrastre para llegar al conjunto de la población y del territorio. Al lado de sectores en los que las formas de vida y consumo no tienen nada que envidiar a las sociedades occidentales, se amontonan los olvidados del desarrollo en una marginalidad a veces dramática. Los «distritos residenciales» de grandes mansiones con piscina y coches americanos, rodeadas de muros de gran altura, en México o en Lima, están muy cerca de los inmensos barrios de chabolas de los cinturones de pobreza. En Brasil, el país con mayores desigualdades de América Latina, el 10 % de la población posee cerca de la mitad de la riqueza (49,7 %), pero el 10 % de los más pobres se reparten menos del 1 % [2].

La formación de polos geográficos de desarrollo ha sacrificado regiones enteras; en el inmenso Brasil, el sur, rico en minerales y café —del que Brasil es el primer productor del mundo— concentra el 80 % de la riqueza del país, y la ciudad de São Paulo, ella sola, representa más de un tercio del PIB nacional (36 %). Por el contrario, las inmensas regiones del norte, del oeste, y sobre todo el *sertao* del noreste, de vegeta-

---

[2] *Le Monde*, 14-1-1992.

ción hostil, víctima de grandes sequías periódicas, sobreviven con grandes dificultades, a pesar de las muy discutidas tentativas de colonización del Amazonas.

Pero lo más espectacular es el desequilibrio entre ciudades y medio rural.

3.1. La América Latina rural

La parte correspondiente a la agricultura en los PIB pone de manifiesto la importancia de este sector; ahora bien, a pesar de la inmensidad del subcontinente, la reivindicación de los revolucionarios mexicanos de principios de siglo, *tierra y libertad*, aún está latente hoy.

La prioridad de la tierra

La tierra ha sido acaparada por un número reducido de propietarios desde la época colonial; las necesidades alimentarias, la ganadería y más tarde la agricultura de plantación crearon grandes posesiones que todavía aumentaron con las reformas liberales del siglo XIX. Una gran parte de la tierra pertenecía a unas pocas familias —que también monopolizaban el poder político— creando una situación de estricta dependencia para su mano de obra de *peones*, mientras que los pequeños campesinos de los *minifundios* y de las comunidades indígenas, empujados a las regiones más hostiles, vivían en la indigencia. La situación se agravó en el siglo XX con el monocultivo y la entrada de las multinacionales norteamericanas, entre las que la sociedad bananera United Fruit es la más conocida: comprando a sus competidores y extendiendo sus propiedades, llegó a dominar las tierras tropicales del istmo, en especial en Guatemala, donde sus intrigas ocultas contra el proyecto de reforma agraria del presidente Arbenz provocaron el golpe de Estado de 1954.

México, sin embargo, había sido el primero en lanzar una reforma agraria por la que habían luchado millones de revolucionarios, como Emiliano Zapata, entre 1910 y 1917. Para apaciguarlos, la Constitución de 1917 tuvo que poner en marcha un ambicioso programa de reforma de las estructuras agrarias, cuya originalidad consistía en mantener la propiedad privada de la tierra al mismo tiempo que reducía las dimensiones, y en volver a crear el sistema comunitario del *ejido* asignado en usufructo a los campesinos sin tierra. De hecho tuvieron que esperar a la presidencia populista de Lázaro Cárdenas para que esta reforma alcanzase resultados tangibles: 18 millones de hectáreas se distribuyeron en los años 30. Pero la exigüidad de las parcelas *ejidales*, que acentuó muy pronto la evolución demográfica, la falta de créditos y de asistencia técnica no permitieron que esta forma de explotación tuviese una producción competitiva con la del sector privado: los *ejidos*, reducidos a una agricultura de subsistencia, fueron muy pronto arrendados o vendidos en contra de la ley que los declaraba inalienables, hasta que una reforma constitucional, en diciembre de 1991, autorizó su privatización.

Bolivia también puso en marcha una reforma agraria gracias a su revolución nacionalista de 1952, y la ley otorgó a los *peones* las tierras que cultivaban. Pero, en definitiva, hubo de esperarse al traumatismo de la revolución cubana y a las recomendaciones de la

CEPAL y de la Alianza para el Progreso para que, ante el temor de contagio revolucionario, la mayor parte de los gobiernos promulgasen leyes, llamadas de reforma agraria, que en realidad modificaron poco la desequilibrada estructura de la propiedad. Las únicas reformas dignas de este nombre tuvieron lugar:

• En Cuba, en los años 60; las azucareras norteamericanas fueron nacionalizadas y la mayor parte de las tierras colectivizadas.

• En Perú, bajo la acción de la junta militar progresista del General Velasco Alvarado (1968-1975), que transformó los *latifundios* en cooperativas.

• En Chile, bajo el gobierno de unidad popular de Salvador Allende (1970-1973).

• En fin, en la Nicaragua sandinista después de 1979, donde se expropiaron, en especial, las tierras de la familia del ex dictador Somoza, que poseía, ella sola, el 20 % de la superficie cultivable del país.

Pero el tiempo de la reforma duró poco. Salvo en Cuba, la caída de sus promotores anuló sus realizaciones. En Chile, de 1973 a 1982, el 70 % de los 10 millones de hectáreas expropiadas por los presidentes Frei y Allende fueron devueltas al sector privado, que hoy exporta fruta «fuera de temporada» cultivada durante el verano austral para el consumo de los países occidentales durante el invierno boreal.

Reformas agrarias

En el conjunto del subcontinente, después de los años 60, se ha desarrollado una política de modernización capitalista, la *revolución verde*, potenciada por los gobiernos represivos. Tenía como objetivo el aumento del volumen y del valor de las exportaciones agrícolas, con el fin de obtener las divisas necesarias para la industrialización —y posteriormente para saldar la deuda—. También respondía a la expansión de los mercados internos como consecuencia del aumento de las clases medias, sensibles a las modas de consumo alimentario importadas por las multinacionales: comidas preparadas, bebidas gaseosas, etc. Las nuevas tecnologías, muy costosas (máquinas, abonos, semillas seleccionadas, pesticidas...), han favorecido una reestructuración del suelo en la que explotaciones de extensión media, pero cultivadas intensivamente, han alcanzado mayores rendimientos. Esta modernización llevó al mismo tiempo a un aumento de la tierra cultivada, que, en el conjunto de América Latina, ha pasado de 50 millones de hectáreas en 1950 a 120 millones en 1980, mientras que el número de tractores se multiplicó por 6 y la utilización de abonos por 10.

Pero, al mismo tiempo, se incrementó el abismo entre agricultura moderna, capitalista y eficiente, y el sector, privado de medios, en que vegeta abandonada la agricultura de subsistencia. A veces, como en México, esta última, que abastece de maíz y otros productos básicos, sufre la intervención de los precios agrícolas, lo que, si bien mantiene el nivel de vida del conjunto de los consumidores, lesiona al mismo tiempo las rentas de los productores. Pero, sobre todo, la exigüidad de las parcelas es lo que más perjudica a la agricultura de subsistencia; en Perú, el *minifundio* representaba en 1992 el 55 % de las explotaciones agrícolas, pero sólo el 4 % de la superficie de tierras cultivables. En El Salvador, después de una reforma abortada en 1980 como consecuencia de la oposición de los grandes terratenientes, el 71 % del conjunto de las fincas tiene menos de dos hectáreas y no representa más que el 10 % de las superficie cultivada del país; para sobrevivir, sus cultivadores deben enrolarse como temporeros de los grandes productores de café, azúcar y algodón, que representan el 80 % del valor de las exportaciones. En Brasil, que se ha convertido en el segundo exportador de soja del mundo y que emprendió en 1975 un programa *pro-alcohol* utilizando un derivado de la caña de azúcar para sustituir la gasolina y aliviar así la factura petrolífera, el valor de los productos de la agroindustria se ha multiplicado casi por 10 en relación al de los productos alimenticios.

Esta explotación tan intensiva de la tierra tiene, por otra parte, graves consecuencias ecológicas: persistentes sequías, erosión del suelo..., como puso de manifiesto la Cumbre de la Tierra que tuvo lugar en Río de Janeiro en 1992.

Conflictos sociales

Además, la agricultura modernizada precisa de poca mano de obra. En toda América Latina, en 1980, la mayoría de los 40 millones de campesinos censados eran braceros sin tierras y, a menudo, temporeros o pequeños agricultores que no poseían más que una diminuta parcela, insuficiente para cubrir las necesidades de sus familias —y por eso las dos categorías pueden confundirse—. Así, en Brasil, donde un proyecto de reforma agraria presentado en 1985 por el presidente Sarney no pudo con la oposición de los grandes

propietarios, 10,7 millones de campesinos no poseían tierras o tenían una cantidad insuficiente, según el Ministerio de la Reforma Agraria, y solamente 2,1 de los 6,5 millones de asalariados agrícolas eran fijos. Los campesinos aparecen, por tanto, como la clase social más sometida al subempleo y a situaciones de pobreza. En las zonas rurales los conflictos sociales son frecuentes, y a menudo de una gran violencia; a las ocupaciones ilegales de campesinos sin tierras, la policía, el ejército o grupos paramilitares privados responden con expulsiones y violencias. Son numerosos los dirigentes sindicales, sacerdotes progresistas y abogados dedicados a la defensa de los campesinos asesinados en México y, sobre todo, en Brasil, donde entre 1981 y 1985 se cometieron 567 asesinatos de este tipo, realizados por los *pistoleiros* (asesinos a sueldo) de los grandes latifundistas. El periódico español *El País* relataba (27-2-1993) que uno de ellos ofrecía sus servicios mediante un anuncio radiofónico para matar a un obispo defensor de los pueblos indígenas de la Amazonia. Esta violencia rural se ha exacerbado con los planes para integrar las tierras consideradas vírgenes del oeste amazónico; la apertura de vías de acceso, el desbroce de terrenos, así como las excavaciones de los buscadores de oro (*garimpeiros*), han desestabilizado las reservas indias y expulsado la caza de la que se sustentaban. Los *posseiros* —colonos atraídos a la zona para roturar la tierra con la promesa de adquirir la propiedad al cabo de un año— son continuamente expropiados por hombres de negocios turbios (*grileiros*), expulsados por caciques locales o por multinacionales, en beneficio de grandes proyectos ganaderos que exigen poca mano de obra. La capacidad de negociación y organización de estos campesinos pobres es ínfima, pero, sin embargo, debe recordarse, especialmente en Brasil, el apoyo de corrientes progresistas de la Iglesia. La Comisión Pastoral de la Tierra, creada en 1975, ampara los movimientos sociales campesinos en sus huelgas y sus reivindicaciones.

La ilegalidad puede adoptar otras formas. Para mitigar su creciente empobrecimiento, los campesinos se han visto abocados en las regiones andinas a reemplazar cultivos poco productivos por uno de alta rentabilidad, la hoja de coca, utilizada para la elaboración de la droga que es su derivado químico: la cocaína. La hoja de coca ha sido masticada por los campesinos del altiplano durante siglos. Esta «hoja sagrada» es un complemento alimenticio, una fuente de vitaminas y de energía indispensable en esas regiones para luchar contra la fatiga, la malnutrición y el mal de altura (*soroche*). Pero también es un elemento cultural vinculado a las prácticas religiosas sincréticas.

Ahora bien, diversos estudios han demostrado que la cultura de la coca sirve de exutorio a la mano de obra subempleada o mal pagada. En Bolivia, paralelamente a la degradación de los ingresos, las superficies plantadas de coca han pasado de 10.000 hectáreas en 1980 —superficies que ya sobrepasaban las necesidades tradicionales— a 70.000 hectáreas en 1988; en Perú —primer proveedor mundial de coca, con el 60 % de la producción total— se calcula que las plantaciones clandestinas de coca representaban en aquellas fechas más de 150.000 hectáreas y proporcionaban sustento aproximadamente a 120.000 familias. Estas cifras se explican si se tiene en cuenta que una hectárea plantada de coca proporciona 3.000 dólares al año, mientras que una hectárea de café —cultivo tradicional de esas zonas, y cuyas cotizaciones se han hundido— no les proporciona más que 800 dólares, y la hectárea de cacao 500 dólares. Por otra parte, pequeñas pistas de aterrizaje clandestinas facilitan el acceso de la coca a los laboratorios de elaboración y luego a los centros de comercialización. Por el contrario, los productos legales deben afrontar las incertidumbres del estado de las carreteras, los intermediarios y el terrorismo.

Estados Unidos, gran consumidor de cocaína y víctima de esa plaga, dedica importantes medios a la represión policial de esos cultivos o los de otros estupefacientes, como la adormidera. Se han hecho propuestas para reconvertirlos —ayudas técnicas para mejorar el rendimiento medio de productos legales, instalación de industrias de elaboración para aumentar su valor, transporte aéreo, precios de garantía—, pero hasta ahora nada se ha hecho en tal sentido.

Desnutrición

La preferencia otorgada a los productos agroalimenticios de alto rendimiento, a los cultivos de exportación o a las mercancías ilegales ha agravado, durante el «decenio perdido», los fenómenos de desnutrición. América Latina, rica en productos agrícolas, como se ha visto, tiene globalmente una potencialidad alimentaria superior a la del resto del Tercer Mundo, con un crecimiento de las superficies cultivadas, de los rendimientos y de la producción. No conoce las hambrunas que intermitentemente devastan África por razones climáticas o políticas. Sin embargo, la desnutrición aguda puede tener graves repercusiones en el desarrollo físico e intelectual de una parte de la población.

La desnutrición no proviene, pues, de una insuficiencia en la producción, sino que es la consecuencia de la desigualdad en el reparto de los bienes alimenticios y de la política de producción. Una gran parte de los cultivos de alimentos ha sido sustituida por otros productos; Brasil, por ejemplo, se ha convertido en el segundo productor mundial de soja tras Estados Unidos (1990), y las superficies cultivadas aumentan continuamente. Sin embargo, este cereal no forma parte de la dieta habitual de los brasileños; es uno de los principales productos agrícolas de exportación, destinado a la alimentación del ganado para carne que se consume en los países desarrollados. En Perú, la producción de maíz por habitante ha pasado de 45 kg en 1970 a 27 kg en 1985, y la de patatas, de 140 kg a 78 kg. Al mismo tiempo, en el marco de las políticas económicas liberales, los estados han dejado de subvencionar los productos de primera necesidad; en México, la CONASUPO, organismo estatal que velaba por el abastecimiento y la comercialización a precios reducidos de esos productos, ya no desempeña esa función desde 1986; también la *tortilla* (torta de maíz utilizada como pan) ha experimentado un aumento de precio de un 45 %, y México, exportador de cereales hasta 1971, se ha convertido en importador. En todas partes el consumo de los productos de mayor valor nutritivo —carne, pescado, leche— va en retroceso, al tiempo que aumenta el de la «comida basura», compuestos industriales de escaso valor nutritivo, pero impuestos por los modelos publicitarios extranjeros.

Hasta los años 80, la desnutrición afectaba sobre todo a los campesinos; hoy en día afecta asimismo a las zonas urbanas desfavorecidas, donde no se tiene la posibilidad de cultivar un huerto y se debe recurrir a alimentos de importación con un precio de coste mucho más elevado que el de productos nacionales. Sin embargo, es en las zonas rurales, en las que la reducción de la producción agrícola ha acarreado un descenso de los ingresos, donde las condiciones de vida son más difíciles. Un gran número de campesinos emigra al extranjero o a las ciudades con la esperanza de encontrar allí posibilidades de promoción social.

3.2. La América Latina urbana

Crecimiento de las ciudades

Hasta el «despegue» de los años 40, el subcontinente era esencialmente rural. La naciente industrialización y el desarrollo simultáneo del sector terciario aumentaron la urbanización. Efectivamente, es en las ciudades, y sobre todo en las capitales como consecuencia de la tradicional centralización, donde se organizan estos dos sectores. Dejando de lado la agricultura, las inversiones y la atención del Estado en los países más importantes se concentraron en esos sectores de actividad creando puestos de trabajo que, por el contrario, escaseaban en las zonas rurales. Los campesinos, al buscar mejores condiciones de vida, comenzaron un amplio movimiento de éxodo rural —que sigue en la actualidad— que es el origen de una profunda mutación social; se cree que de 1950 a 1976, cerca de 40 millones de campesinos en América Latina han emigrado a las ciudades en busca de empleo. El sector rural, que sumaba el 55 % de la población en 1950, ya no era más que el 35 % en 1980... En 1950 había en el subcontinente seis ciudades de más de un millón de habitantes; veinte años después había 17, entre ellas México, que en los años 70 venía aumentando en un millón de habitantes al año. En 1991, cuatro ciudades —México, São Paulo, Buenos Aires y Río de Janeiro— sobrepasan los diez millones de habitantes. El desequilibrio entre espacios casi vacíos, muy pocas ciudades de tipo medio y las megalópolis, superpoblados centros de atracción, es hoy un problema inquietante.

El éxodo hacia las ciudades se ve favorecido por el hecho de que las producciones industrial y de servicios se concentran en un reducido número de núcleos urbanos, normalmente las capitales, que también polarizan las esperanzas del campesinado emigrante. Aunque las posibilidades reales de trabajo han disminuido paulatinamente hasta convertirse en un bien escaso en los años 70, las ciudades continúan ofreciendo elementos de seducción que no tiene el mundo rural: trabajo —aunque sea informal—, vivienda, hospitales, escuelas, lugares de esparcimiento y culturales.

Pero este crecimiento incontrolado ha degradado poco a poco el espacio urbano y las condiciones de vida de sus habitantes. Las superficies habitadas han aumentado sin otros límites que los impuestos por la situación geográfica. La necesidad de largos desplazamientos se ha convertido en un problema de primera magnitud. La multiplicación de los medios de transporte individuales y colectivos y de los residuos ha agravado los índices de polución producida por la localización de industrias en zonas urbanas. La dotación de equipamientos —viviendas, estructuras sanitarias y educativas— ha ido por detrás del rápido crecimiento demográfico, y por todas partes han surgido barrios periféricos de chabolas o suburbios populares, cinturones de pobreza para los que cada país ha inventado un nombre más o menos metafórico.

Brasil tiene sus *favelas*, donde encuentran refugio millones de campesinos que han emigrado a las ciudades cada vez en mayor número: 2,7 millones, de 1940 a 1950; 5,5 en la década siguiente; luego, 10,2, y más tarde 14 millones, de los 70 a los 80. El presidente Kubitschek, en 1960, quiso, no obstante, descentralizar el inmenso país creando una nueva capital, Brasilia, en el corazón de la meseta central —empresa en la que más tarde fracasaría el presidente Alfonsín en Argentina—. La moderna ciudad, construida por el arquitecto Niemeyer, reducida a una función administrativa, sin actividad productiva, permanece aislada y relativamente poco habitada: menos de dos millones de habitantes, en tanto que la antigua capital, Río de Janeiro, tiene más de seis, y São Paulo, la capital económica, más de 11 (datos de 1990). La Baixada Fluminente, inmensa ciudad-dormitorio de Río, tiene más de 2,5 millones de habitantes, muchos de ellos procedentes del noreste del país. Las estructuras de acogida son insuficientes; no existe, por ejemplo, más que un hospital; los puestos de trabajo son escasos y la flexibilidad favorece los despidos, la delincuencia y la criminalidad. En São Paulo, la modernidad en sus manifestaciones más llamativas linda con las bolsas de miseria y explotación, la indigencia y todas sus consecuencias.

Una de las más trágicas es la situación de los niños de la calle, abandonados o huidos, problema que tienen Bogotá, Ciudad de Guatemala y otras muchas ciudades. Se calcula que a finales de 1992 debía de haber alrededor de 40 millones en América Latina, según la Agencia EFE [3], o sea el 10 % de la población, y sólo en Brasil ocho millones, rechazados, abandonados a su suerte, condenados a la criminalidad, la droga y la prostitución. Explotados por pícaros de toda laya, su esperanza de vida es corta; en Brasil se han convertido en blanco de los «escuadrones de la muerte» patrocinados por comerciantes o traficantes de droga, que habían asesinado a más de 2.000 de ellos entre 1988 y 1991 en operaciones de «limpieza».

En Perú, la reforma agraria del presidente Velasco Alvarado no impidió el éxodo rural, sobre todo porque no tuvo en cuenta a las comunidades campesinas; asimismo, la población de Lima se ha multiplicado por 7 entre 1940 y 1981, para alcanzar en 1990 cerca de siete millones, o sea un tercio de la población del país, sobre una superficie de 400 km². El alcantarillado de la ciudad se concibió para una población diez veces menor, dato que tiene una relación directa con la propagación de la epidemia de cólera. Todavía más, las «zonas residenciales» de San Isidro o Miraflores están cerca de barriadas a las que afluyen los campesinos procedentes de la sierra o de los barrios populares, llamados eufemísticamente *pueblos jóvenes*. El proceso es el mismo que en otras partes de América Latina: familias que bajan de la sierra por la noche y que «invaden» algún pedazo de tierra libre en la periferia de Lima. Rápidamente construyen allí una chabola, instalando a las mujeres y los niños, y se preparan a enfrentarse a las fuerzas del orden..., cada vez más reticentes al conflicto. Luego les toca la paciente resistencia a las expulsiones, negociar la tolerancia resignada de las autoridades, y más tarde obtener servicios para sobrevivir: agua, electricidad, escuelas, calles asfaltadas, transportes al centro urbano..., lo que puede llevar años y depende en último término de la capacidad de organización de los habitantes de la barriada. La de Villa El Salvador, fundada en 1971, ha sido célebre por su administración autogestionaria. Y es que la práctica precedente de vida comunitaria juega un importante papel, y se pone de manifiesto sobre todo en la solidaridad que se mantiene con las zonas rurales de origen; estas estrechas relaciones permiten un mínimo de aprovisionamiento alimenticio que asegura la supervivencia de la barriada.

México, la ciudad más grande del mundo

México, «la ciudad más grande del mundo», la única capital de América Latina fundada sobre

---

[3] *El País*, 19-11-1992.

las ruinas de una antigua ciudad prehispánica, la Tenochtitlán de los aztecas o mexicas, cuenta, según fuentes de los años 90, entre 15 y 18 millones de habitantes, o sea el equivalente a la población total de Dinamarca, Noruega y Finlandia juntas. En los años 30 sólo pasaba del millón de habitantes, ya tenía tres en 1950, nueve en 1970, 14,5 en 1980. Así pues, México puede servir de lente de aumento para llamar la atención sobre los problemas urbanos en América Latina.

El crecimiento industrial de los años 40 se incrementó bajo la presidencia de Miguel Alemán (1946-1952), con una gran apertura económica al exterior; comercio, banca, y en general los servicios, conocieron un rápido desarrollo que favoreció la aparición de una clase media de empleados y una burguesía comercial. Las construcciones se multiplicaron y, al mismo tiempo que se modificaba su composición sociológica, la ciudad se extendió hacia la periferia, horizontalmente a causa de los problemas sísmicos de la región. Pronto se confundió con el Distrito Federal (DF), sede de los poderes de la República Federal que es México, para absorber luego, en los años 60, los pueblos de los alrededores y más tarde invadir los estados vecinos de la Federación, hasta convertirse en la Zona Metropolitana de la Ciudad de México (ZMCM); su superficie, de 200 km² en 1930, alcanzó los 800 km² en 1980, y en 1993 llegaría a los 3.900 km². [4]

Talleres y fábricas se instalaron, sin ningún control, en los espacios disponibles, desencadenando un proceso de degradación del medio ambiente y de polución que iba a ser crucial en los años 80. Las actividades comerciales y de servicios se han mantenido en principio en el «centro histórico», la antigua ciudad colonial. Al mismo tiempo, las entre 1.000 y 2.000 personas sin recursos que llegaban diariamente de las zonas rurales de los alrededores se apoderaban de los espacios libres del casco antiguo, en especial los antiguos palacios coloniales abandonados y degradados, en las proximidades del centro de negocios. El antropólogo norteamericano Oscar Lewis [5] ha hecho célebres estas casas de vecindad donde se amontonan familias numerosas sin comodidades ni higiene. Los flujos crecientes de emigrantes pronto formaron barrios de chabolas, las *ciudades perdidas* de la periferia, que, al organizarse e institucionalizarse, se han convertido en las inmensas *colonias proletarias* de Netzahualcoyotl y más recientemente Chalco; sin embargo, las clases medias se trasladaron a nuevas zonas residenciales del noroeste y del oeste y a las urbanizaciones de Coyoacán y San Ángel.

Durante los Juegos Olímpicos de 1968 la ciudad hizo gala de una apariencia de modernidad —rascacielos altísimos, Ciudad Universitaria, Ciudad Olímpica, metro, vía de circunvalación, museo prestigioso—, pero continuaba extendiéndose en un proceso desordenado y tentacular fundado sobre la misma política de industrialización y especulación, y cuyas consecuencias están resultando alarmantes desde finales de los años 70. La ciudad ya no podía absorber el continuo éxodo rural; paro y subempleo iban

[4] *La Jornada*, México, 8-3-1993.
[5] Oscar Lewis, *Los hijos de Sánchez*, París, Gallimard, 1964.

creando una creciente marginación del «cinturón de pobreza». El «trabajo precario» se ha
multiplicado; a las tradicionales Marías, mujeres indígenas
que venden frutas en las calles
céntricas, se suman los niños:
guardas de aparcamientos, lim-
piaparabrisas, vendedores de
baratijas, malabaristas de los
semáforos. Los vendedores ambulantes invaden las calles y
los pasillos del metro; menos
visibles, los *pepenadores* se ins-
talan en los inmensos vertede-
ros de la periferia para practicar una economía de recuperación.

Los desequilibrios sociales se
han agravado, pero los problemas urbanos no afectan sólo a
las clases marginales; la escasez de viviendas, de alcantarillado, de transportes colectivos,
la inseguridad, alcanzan al
conjunto de la población. El
abastecimiento de agua de una
gran ciudad situada a más de
2.000 metros de altitud y alejada de ríos importantes es un
gran problema; resulta muy
costoso encauzarla a una distancia de 130 km con un des-
nivel de 1.100 metros. Y, sobre
todo, la contaminación producida por la industria y más de
tres millones de vehículos, y
cuya limpieza impiden las
montañas circundantes durante la estación seca, es desde
ahora la principal preocupación. Ante el recrudecimiento
de problemas respiratorios y
oculares, se han impuesto medidas de emergencia: cambio
de los horarios escolares para
proteger a los niños; prohibi-
ción a los automovilistas de cir-
cular un día por semana, por
turno, para limitar el número
de vehículos; cierre de las industrias más contaminantes en
función de los niveles de polución...

Dos catástrofes sucesivas han
jugado un papel muy revela-
dor, al mostrar que los males
que sufre la ciudad son también el resultado de una opción
y de las aberraciones que responden a una política:
• En 1984, la explosión de la
refinería de San Juan Ixhua-
tepec, situada en un barrio popular, provocó centenares de
muertos, heridos y damnificados; se ha dicho de esta peli-
grosa instalación que había
sido construida a una prudente
distancia de la aglomeración,
pero lo cierto es que había sido
materialmente encerrada por
los barrios construidos posteriormente [6].
• El 19 de septiembre de 1985,
un violento terremoto produjo
oficialmente 30.000 muertos,
80.000 familias damnificadas y
considerables daños en pleno
centro. Se trata, es cierto, de
un fenómeno natural, pero sus
efectos selectivos han venido a
demostrar que los estragos se
debían menos a la violencia del
seísmo que a la extracción in-
controlada de agua en un sub-
suelo movedizo y a las deficiencias de construcción o de man-
tenimiento, a menudo achaca-
bles a la corrupción. En efecto,
hubo pocos daños en los edificios coloniales o en los rascacielos construidos según las
normas antisísmicas, pero las
escuelas, hospitales, hoteles,
inmuebles, edificios públicos
que se hundieron sobre sus
ocupantes habían sido edifica-
dos, en muchos casos, sin res-
petar esa reglamentación.
La magnitud del desastre produjo una toma de conciencia en
varias direcciones: si las tentativas de descentralización tu-

---

[6] Una explosión similar se produjo en 1992 en Guadalajara, segunda ciudad
de México.

vieron poco éxito, la inmigración disminuyó. En especial, los sentimientos de solidaridad y de organización que despertó la catástrofe sacaron a la luz una «sociedad civil» preocupada por defender sus derechos; los damnificados crearon asociaciones, como las costureras de talleres clandestinos cuya existencia se conoció entonces, o los habitantes del barrio popular de Tepito, que emprendieron la reconstrucción de sus casas por sus propios medios. Surgió al mismo tiempo una cultura urbana cuyo símbolo es el personaje de *Superbarrio*, mitad luchador, mitad Zorro, producto de las asambleas de barrio, que defendía a los inquilinos contra los desahucios y la especulación y que amplió su campo de acción al conjunto de los problemas urbanos y de la sociedad, como la lucha contra la droga y el sida. Los efectos sociológicos del terremoto se dejaron sentir hasta en la agitación inhabitual que rodeó las elecciones generales de 1988.

En México, como en las otras grandes ciudades de América Latina, el problema queda planteado: ¿cómo conciliar la protección del medio vital con el desarrollo?

4. Movimientos demográficos

4.1. La emigración política y económica

Una de las causas del desarrollo urbano está en la importancia de los movimientos demográficos, que rebasan los límites nacionales y pueden responder a diversos motivos, políticos o económicos.

La generalización de dictaduras y regímenes represivos en los años 80 provocó una gran oleada de emigración; muchos habitantes del cono sur encontraron refugio en Europa, y en especial en Francia. Las guerras civiles que devastaron América Central en la misma época desplazaron a salvadoreños y nicaragüenses hacia Costa Rica, más tranquila, y hacia Estados Unidos. Unos 50.000 indios guatemaltecos —entre ellos Rigoberta Menchú—, acusados de ser la base social de la guerrilla que combate el gobierno militar desde hace más de 30 años, víctimas de una campaña de terror despiadada, han encontrado asilo en México, en campos de refugiados, a comienzos de los años 80; hasta 1993 no han obtenido las garantías necesarias para regresar a su país.

La emigración puede ser también económica. Los campesinos haitianos, en estado de extrema miseria, no tienen la posibilidad de buscar trabajo en una gran ciudad industrial; con la esperanza de ser contratados en las plantaciones de caña de azúcar de la República Dominicana, muchos de ellos pasan de forma clandestina la frontera y a veces mueren ahogados en sus balsas improvisadas. Cuando lo consiguen, llevan una vida miserable de explotación.

4.2. Los hispanos en Estados Unidos

En 1990, Estados Unidos era el quinto país hispanoparlante después de México, España, Argentina y Colombia. Los *hispanos* eran allí 20 millones en 1980, de una población total de 226 millones; en 1990 eran ya 25 millones —o sea el 9,7 % de la población de Estados Unidos—, dado que cada año alrededor de un millón de personas —de las que aproximadamente la mitad son apresadas y expulsadas— atraviesa clandestinamente la frontera que separa México de su vecino. Además, su elevada tasa de natalidad en relación con la población mayoritaria podría convertirlos muy pronto en la primera minoría norteamericana, por delante de la negra.

Diseminados por todo el país, son especialmente numerosos en las grandes ciudades, en los estados del sur vecinos de México, y constituyen el 40 % de la población de Los Ángeles. Se calcula que el 60 % procede de México, el 10 % de Puerto Rico y el resto de todo el continente. Hay también muchos cubanos anticastristas —que han formado una próspera colonia en Miami—, dominicanos, salvadoreños, colombianos, a veces refugiados políticos que huyen de guerras civiles. Un número reducido goza de una situación legal, como los cubanos o los puertorriqueños, cuya isla tiene el estatuto de «Estado libre asociado» de Estados Unidos (una especie de protectorado); los restantes, *indocumentados*, soportan penosas condiciones de vida, un bajo nivel educativo y grandes dificultades de adaptación.

El caso de los mexicanos es significativo, ya que afecta a las dos categorías: por una parte los *chicanos*, que tienen nacionalidad norteamericana, y por otra los *indocumentados*. En 1848, el tratado de Guadalupe Hidalgo adjudicó a Estados Unidos la mitad del territorio del México de entonces: los actuales estados de California, Arizona, Nuevo México y Texas. La población de esos territorios, que no sobrepasaba las 100.000 personas, obtuvo el derecho a conservar sus tierras, así como su lengua y su cultura; más tarde experimentaron un proceso de mestizaje cultu-

ral al impregnarse de cultura anglosajona. Nuevas oleadas de emigrantes mexicanos reforzaron esta minoría en función de las necesidades coyunturales de mano de obra en Estados Unidos. La Segunda Guerra Mundial o la guerra de Corea, por ejemplo, favorecieron *programas braceros* (importación de obreros agrícolas). Muchos de estos mexicanos pudieron legalizar su situación y adoptar la nacionalidad norteamericana, conservando al mismo tiempo elementos de su cultura nativa; en 1970 crearon el movimiento *chicano* —abreviatura de mexicano—, organización multiforme alrededor de una historia, de una cultura, de una ideología y de unos objetivos comunes.

Los *chicanos* se niegan a ser inmigrantes y se consideran herederos de los vencidos en 1848; ponen de manifiesto esa identidad en sus emisoras de radio, una cadena de televisión, periódicos y, sobre todo, un original teatro y un muralismo donde expresan sus reivindicaciones culturales —derecho a la enseñanza bilingüe— y sus problemas materiales. Uno de sus primeros dirigentes fue el sindicalista César Chávez, que defendió a los obreros agrícolas de California y consiguió mejorar su situación organizando grandes huelgas.

Pero hoy resultan conflictivas las relaciones entre *chicanos*, arraigados y preocupados por defender sus derechos adquiridos, y *clandestinos*, dispuestos a aceptar las peores condiciones de trabajo; estos jóvenes campesinos atraviesan la frontera ilegalmente, huyendo de la *migra* (patrulla de control), gracias a los *coyotes* (guías para pasar la frontera), por los desiertos de Arizona, donde algunos encuentran la muerte, o cruzan a nado el Río Grande

65

(los *espaldas mojadas*), mano de obra barata que los patronos emplean a pesar del riesgo a ser sancionados. Forman parte del contencioso entre México y Estados Unidos que el Tratado de Libre Comercio debería contribuir a resolver.

5. Los indios: marginados del interior

Si los *hispanos* forman una minoría marginada en Estados Unidos, América Latina también tiene a sus excluidos del interior, los llamados indios a consecuencia del error geográfico de Cristóbal Colón, y que, quinientos años después, reivindican a veces ese nombre.

El europeo de la colonización, de un etnocentrismo visceral, vio en el indígena americano no a un «semejante» en su humanidad, sino, por sus diferencias culturales, a un *otro* [7] cuyas creencias, prácticas religiosas y formas de vida no parecían aceptables, siendo imprescindible integrarlo en la civilización europea. Así pues, se consideró que los indios eran como menores que debían ser educados. Esta actividad paternalista se transformó fácilmente en condescendencia, subordinación y explotación; cuando no podían ser reducidos a mano de obra servil, eran expulsados a los lugares más hostiles, privados de sus territorios tradicionales, agredidos en sus formas de vida y sus costumbres.

Este tipo de relaciones impidió la integración en igualdad de los vencidos de la conquista en la sociedad de los vencedores y los convirtió en una minoría, incluso en los países en los que hoy son mayoría numérica; la palabra «minoría» se entiende, pues, en relación con la sociedad dominante que sirve de referencia, como una supervivencia arcaica, un estatus social considerado inferior, un freno al desarrollo, aunque no exista discriminación de derecho.

La palabra «indio», imprecisa, parece encubrir así una categoría sociológica y cultural más que un referente biológico; de hecho, después de cinco siglos, sólo los grupos más aislados han podido escapar al proceso de mestizaje. Se podría, por tanto, designar con la palabra «indio» a los hombres y las mujeres que se reconocen de una etnia diferenciada por su organización social, su lengua precolombina, su cultura y sus aspiraciones. A comienzos de los años 90 se creía que entre 30 y 40 millones de personas en América Latina respondían a esta definición (o sea, aproximadamente el 10 % de la población total), de las que tres cuartas partes vivían en América Central y en la zona andina. Los indios formaban cerca del 60 % de la población de Bolivia y Guatemala, quizá la mitad de la de Perú y Ecuador, apenas el 10 % de la población mexicana, siendo muy poco numerosos en el cono sur. Las 400 etnias censadas en América Latina cuentan a veces con muy pocos miembros y, en tal caso, están en peligro de desaparición; por contra, una decena reúne a la mayoría de la población india, en especial los grupos quechua y aymara de los Andes, quiché de Guatemala y náhuatl de México.

Si la colonia y el siglo XIX han discriminado al indio, el siglo XX ha tenido que reconsiderar su lugar en el seno de la

---

[7] Tzvetan Todorov, *La Conquista de América, la cuestión del otro*, París, Seuil, 1982.

sociedad. En Perú, Mariátegui ha denunciado sus condiciones de vida y la usurpación de sus tierras. México dio en 1940 una dimensión continental al problema al convocar el Primer Congreso Indigenista Interamericano. Pero estas iniciativas, en cierta medida prolongación del paternalismo colonial, se proponían integrar al indio en la sociedad dominante, asimilarlo al proletariado rural, negándole su identidad cultural. Aparte de lo limitado de sus logros, han tenido el efecto de enfrentarse con la voluntad de ciertos grupos indios de preservar su cultura. A partir de los años 70 se reavivó en todo el continente el llamado «despertar indio». El fracaso de los programas sociales, el avance agroindustrial hacia los territorios ocupados por los pueblos indios, la represión de su resistencia, en especial en Brasil y Guatemala, han propiciado el surgimiento de nuevas organizaciones de carácter étnico, esta vez a iniciativa de los propios indios que se han opuesto a políticas de asimilación y de pérdida de la identidad original y han alumbrado una conciencia india.

Aunque una corriente «indianista» extremista preconiza, en Bolivia, la reconstrucción del antiguo imperio inca, en la mayoría de los casos se trata de crear un espacio reivindicativo de valores propios: autogestión, derecho a la tierra como instrumento de producción pero también como base de una organización social comunitaria y de una cultura, reconocimiento de las lenguas indígenas y derecho a la enseñanza bilingüe. Las organizaciones, primero regionales, han alcanzado una dimensión nacional y luego internacional; en 1977 se creó la Coordinación Regional de los Pueblos Indios de América Central (CORPI); en 1980, el Consejo Indio de América del Sur (CISA), que reunió delegaciones de todo el subcontinente y reivindicó el vocablo «indio» para sustituir su contenido paternalista por un sentido de reivindicación anticolonialista. Estas dos organizaciones se adhirieron al Consejo Mundial de los Pueblos Indígenas reunido en Canadá en 1975.

Los gobiernos han tenido que tomar nota de sus reivindicaciones, al menos en los textos oficiales: la Constitución brasileña de 1988 ha confirmado los derechos de los indios sobre las tierras que tradicionalmente han ocupado; México en 1991, en una enmienda a su Constitución, ha reconocido la composición pluricultural de la nación. La proximidad del Quinto Centenario de 1492 dinamizó este movimiento. Se organizaron encuentros continentales, en especial en Quito (Ecuador) en 1990, y luego en 1991 en Quetzaltenango (Guatemala). Allí se rechazó por unanimidad la «celebración» de lo que, para los pueblos autóctonos, había sido un genocidio; pero, al mismo tiempo, el colectivo Quinientos Años de Resistencia Indígena, Negra y Popular ha reconocido, al adoptar esa denominación, que los indios latinoamericanos de hoy tienen muchas reivindicaciones en común con otros grupos sociales, marginados como ellos en la estructura social del continente. Esto es lo que ponía en evidencia, el 1 de enero de 1994, el levantamiento de Chiapas, zona del sur de México cuya población tiene un fuerte componente indígena. Al rechazar su exclusión una vez más de la toma de decisiones de un Estado que acababa de firmar un tratado comercial con Estados Unidos, los sublevados forzaron al gobierno a sentarse a la mesa de negociaciones.

6. LA VIDA POLÍTICA DE AMÉRICA LATINA

A mediados de nuestro siglo parecía que América Latina podía librarse del subdesarrollo; pero la crisis de la deuda, las políticas de austeridad, el modelo neoliberal adoptado en los años 80, no han permitido resolver los problemas sociales más agudos. Esta situación pone en evidencia un flagrante divorcio entre Estado y Nación, entre la clase política responsable de las decisiones económicas y los grupos populares que sufren las frustraciones, divorcio peligroso para la estabilidad del continente.

1. Modelos políticos y realidades sociales

Cuando a comienzos del siglo XIX la mayoría de las colonias ibéricas proclamaron su independencia, tuvieron que escoger un sistema de gobierno. En su herencia latina encontraron el modelo republicano, difundido por la revolución francesa y revalorizado por el éxito de la joven y dinámica República Federal de los Estados Unidos de América del Norte. La república se impuso, pues, con excepción de Brasil, donde la familia real portuguesa, perseguida por Napoleón, había encontrado refugio, y que no fue republicano hasta finales de siglo. Sin embargo, en todas partes las libertades fundamentales y la democracia representativa, emanación en teoría del sufragio popular, que definen la forma republicana, no eran más que una ficción expuesta a restauraciones monárquicas o a pronunciamientos militares.

El sistema representativo se basa en un consenso que supone un equilibrio relativo entre las diversas fuerzas sociales y la aceptación por parte de las minorías de las decisiones de las mayorías. Si el occidente industrializado se encaminaba hacia este equilibrio, el pronunciado dualismo de las sociedades latinoamericanas ahondaba un profundo foso entre las oligarquías, preocupadas por preservar un *statu quo* privilegiado, y las masas, cuya miseria e ignorancia las convertía no tanto en ciudadanos conscientes del juego político como en instrumentos fáciles de manipular. El lastre colonial, el retraso del desarrollo y el agravamiento de las desigualdades permitieron pocas veces la coincidencia de las situaciones sociales con las formas de gobierno. También la evolución política del continente latinoamericano, desde su independencia hasta nuestros días, puede parecer esquemáticamente como un movimiento de péndulo entre autoritarismo y rebelión: autoritarismo de los «gobiernos de hecho», dictaduras militares o civiles que derriban o desnaturalizan los poderes de derecho; revueltas, revoluciones o guerrillas que intentan conquistar por la fuerza un espacio para expresar las reivindicaciones que no pueden manifestarse en el marco de la legalidad. Pocas naciones latinoamericanas han podido preservar de forma duradera, en el libre juego de las instituciones democráticas, su estabilidad y credibilidad políticas.

Durante la primera mitad de nuestro siglo, los regímenes autoritarios han sido dictaduras personales: un hombre que enarbola el título de «presidente de la República», a menudo un militar que saca provecho del prestigio adquirido en una acción armada, el *caudillo*, concentra de hecho todos los poderes en sus manos después de haber vaciado de contenido el contrapeso de los poderes legislativo y judicial, manipulando las instituciones y las elecciones para mantenerse en el poder y amordazando a la oposición y a los órganos de control como la prensa. A caballo entre los siglos XIX y XX, algunas de estas dictaduras, apelando al lema positivista *Orden y Progreso* —por ejemplo la de Porfirio Díaz, que gobernó México de forma casi ininterrumpida de 1876 a 1910—, pudieron iniciar una modernización de las estructuras, pero a costa del aumento de las desigualdades sociales, como puso en evidencia, en 1910, el estallido de la revolución mexicana. Si, después de la Segunda Guerra Mundial, estas dictaduras se multiplicaron en el Caribe y América Central fue porque Estados Unidos las utilizaba para garantizar sus intereses económicos en la zona. En Guatemala, Estrada Cabrera (1898-1920) y más tarde Ubico (1931-1944), Machado en Cuba (1924-1933), Trujillo en la República Dominicana (1930-1961)..., mantuvieron bajo control estas «repúblicas bananeras», «patio trasero» de Estados Unidos, reprimiendo toda tentativa de oposición nacionalista o social; algunos de estos tiranos en otra época transmitieron su poder de forma hereditaria: en Nicaragua se sucedieron tres Somoza (1937-1956, 1956-1963, 1967-1979), y en Haití al doctor Duvalier, *Papadoc* (1957-1971), le sucedió su hijo, *Baby Doc* (1971-1985). La implicación de la gran potencia vecina en los asuntos latinoamericanos convierte, pues, en mera formalidad la autonomía política del subcontinente. Conviene, por tanto, detenerse en este punto.

2. América Latina y Estados Unidos

Los Estados Unidos de América del Norte, independientes en 1776, no adquirieron su presente poder sino de forma paulatina; sin embargo, desde 1823, en el momento en que renacían los absolutismos en Europa y cuando España parecía querer intentar la reconquista de sus antiguas colonias, el presidente Monroe declaró que los Estados Unidos no aceptarían ninguna intervención europea en el continente. Esta «doctrina», que se resume en la expresión «América para los americanos», iba a ser la base del intervencionismo norteamericano en los asuntos de sus vecinos continentales bajo modalidades diversas.

Cuando a finales del siglo XIX las trece antiguas colonias británicas se extendieron hacia el oeste, el norte y el sur —en especial a la costa de México— y se desarrollaron industrialmente, su expansionismo buscó nuevas salidas.

2.1. Cuba y Panamá

En este sentido, las primeras operaciones demuestran cómo Estados Unidos pudo, al intervenir en una guerra de independencia —la de Cuba— o en la creación de un Estado —Panamá—, asentar sus intereses económicos y políticos. En Cuba los tenía azucareros. La situación estratégica de la isla, cerrojo del continente, también había despertado su codicia, y hubo intentos de comprarla a España. La guerra de independencia de Cuba (1895-1898) proporcionó la ocasión para una nueva forma de colonialismo: el apoyo prestado a los sublevados le permitió intervenir en las negociaciones, y al tratado de París, que reconoció la independencia de la isla, se añadió una cláusula adicional, la enmienda Platt, que otorgaba a Estados Unidos un derecho de intervención. Sobre esas bases, Cuba se encontró bajo control norteamericano hasta la revolución de 1959. Por ese mismo tratado, España tuvo que ceder a Estados Unidos Puerto Rico y el archipiélago de Filipinas en el Pacífico.

Al mismo tiempo, la expansión de los intercambios económicos que exigía el desarrollo de las comunicaciones permitió contemplar la posibilidad de abrir una vía rápida entre los dos océanos. Como consecuencia de la configuración continental se impuso la solución de un canal en la región de Panamá, provincia colombiana. Estados Unidos aprovechó las tendencias secesionistas de Panamá, que se declaró independiente en 1903 para luego ceder la zona del futuro canal a Estados Unidos con derecho de intervención. El canal se inauguró en 1914, y la zona se convirtió en un centro estratégico de primera magnitud.

En estos dos casos, fue el nacimiento de esos dos estados lo que permitió a Estados Unidos inmiscuirse en sus asuntos internos. Pero esta posibilidad se iba a revelar insuficiente.

2.2. La política del «gran garrote» y la «diplomacia del dólar»

En 1889, después de la Primera Conferencia Panamericana de Washington, Estados Unidos se esforzó en formalizar los vínculos políticos y económicos con sus vecinos del subcontinente, suscitando su desconfianza. En los años siguientes, se van a llevar a cabo dos estrategias complementarias, una política y militar, otra económica, que afianzarán la hegemonía norteamericana en América Latina en el siglo XX.

En 1904, el presidente Theodore Roosevelt declaró que la inestabilidad de sus vecinos podría obligar a Estados Unidos a desempeñar el papel de policía internacional, definiendo así la política del big stick («gran garrote»). Este corolario de la «doctrina» Monroe iba a «legitimar» ocupaciones militares que pusieron a América Central y el Caribe bajo control norteamericano y convirtieron la región en una especie de mar interior norteamericano. Cuba (1898-1901, 1906-1909, 1917-1923), República Dominicana (1904-1924), Nicaragua (1911-1932), Haití (1915-1935)... Y así se aseguraba una estabilidad política que favorecía la implantación del dominio económico norteamericano en la región, gracias a una política de masivas inversiones que el presidente Taft definió en 1909 como la «diplomacia del dolar». Si este expansionismo fue menos llamativo en América del Sur, la dependencia económica se afirmó con igual rigor. Para ello fue preciso a veces eliminar rivales europeos; el mejor ejemplo es la matanza de la guerra del Chaco (1932-1935), que opuso militarmente a Bolivia y Paraguay, pero donde en realidad se enfrentaban dos compañías petrolíferas, la Standard Oil norteamericana y la Royal Dutch angloholandesa, por la posesión de territorios desérticos del Chaco con fama, que luego no se confirmó, de ser ricos en yacimientos petrolíferos.

2.3. América Latina, ¿un envite?

Pero el envite que constituía América Latina en la política de Estados Unidos quedó puesto de relieve sobre todo después de la Segunda Guerra Mundial, en el contexto de la lucha de influencias entre el mundo occidental y el socialista. Siguiendo la doctrina Truman, Estados Unidos prestaba ayuda a gobiernos que consideraba suficientemente autoritarios para combatir las teorías y los programas socialistas, favoreciendo de este modo a las dictaduras a costa de las democracias. Sobre estas bases se firmó en 1947 un Tratado Internacional de Asistencia Recíproca (TIAR) y, en 1948, la Conferencia Panamericana se convirtió en la Organización de Estados Americanos (OEA). Ésta, al asegurar una cohesión continental, iba a combatir todo movimiento reformista sospechoso de «comunismo». En la zona central del canal, en Panamá, se había creado en 1946 un centro de formación de oficiales latinoamericanos y de entrenamiento en la lucha antisubversiva, denominado más tarde Escuela de las Américas. Estos organismos, a los

que hay que añadir la Agencia Central de Inteligencia (CIA), eran los puntos de apoyo de numerosas intervenciones militares y diplomáticas de Estados Unidos en América Latina y de protección de los intereses económicos de la gran potencia en el subcontinente.
• En 1954, la OEA condenó la reforma agraria promulgada en Guatemala por el coronel Arbenz, que amenazaba los intereses de la United Fruit Co., y sostuvo una intervención contrarrevolucionaria que puso fin a ese régimen progresista.
• Después de la tentativa de invasión anticastrista de Playa Girón, la OEA, en 1962, excluyó a Cuba y decretó contra la isla un embargo comercial todavía en vigor.
• En 1965 la OEA apoyó una intervención militar similar en la República Dominicana.
• En 1989, una invasión de tropas norteamericanas en Panamá derrocó al régimen, por otra parte discutible, del general Noriega, diez años antes de la fecha fijada para la devolución a Panamá de la zona del canal.
Se utilizaron también formas indirectas de apoyo a la contrarrevolución, con éxito en Chile, en 1973, contra el gobierno del presidente elegido Salvador Allende, y más tarde contra la Nicaragua sandinista y las fuerzas revolucionarias salvadoreñas.
Hoy en día, después de la desaparición del bloque socialista y la vuelta del conjunto de América Latina a la democracia formal y al liberalismo, Estados Unidos reconoce que en el pasado se han cometido «errores». Cuba es la única excepción en las relaciones normales entre los dos conjuntos del continente. Pero la persistencia de los problemas sociales y, por tanto, la amenaza de

conflictos armados y los focos de insurrección que existen en numerosas zonas podrían tener consecuencias en el futuro de estas relaciones. Las intervenciones norteamericanas en la región no son, pues, ajenas a las deficiencias del funcionamiento democrático.

3. Poderes de derecho, poderes de hecho

«Se decía en otro tiempo que la constitución tenía "una función decorativa en el palacio de un *caudillo*". Más o menos sigue siendo lo mismo, a pesar de los cambios habidos» [1].

3.1. Poderes de derecho [2]

En sus comienzos las repúblicas latinoamericanas consideraban como modelos las constituciones e instituciones políticas francesas y norteamericanas: separación de poderes, parlamentarismo, declaración de derechos y libertades fundamentales. A comienzos de los años 70, se podía creer que los países del cono sur, Uruguay, Chile, Argentina, habían alcanzado una estabilidad y una cultura democrática que se atribuían al nivel de desarrollo y a la importancia de la inmigración europea. Sin embargo, se vio durante ese decenio que la apreciación era errónea, ya que esos países desembocaron en las peores dictaduras que se hayan conocido en el subcontinente. Hoy en día, la pequeña Costa Rica (tres millones de habitantes) es quizá, a pesar

de una grave agitación social, la única democracia que no da pábulo a las críticas y, por eso, ha podido desempeñar una función diplomática en la solución de los conflictos centroamericanos a finales de los años 80.

En 1917, después de la revolución, la Constitución mexicana de Querétaro añadió a los derechos fundamentales una legislación social que, promulgada antes de la revolución soviética, fue orgullo de los mexicanos: una calle del Artículo 123, de México, conmemora el texto que estableció la jornada de trabajo de ocho horas, el salario mínimo, la protección social, el derecho de huelga, etc. Estos derechos, imitados por numerosas constituciones latinoamericanas, respondían, sin embargo, y debido a las disfunciones sociales, más al ideal a alcanzar que a un imperativo, y de hecho el conjunto de las disposiciones constitucionales queda en entredicho en determinadas coyunturas; la suspensión de las garantías constitucionales, el estado de excepción, el estado de sitio, la censura o supresión de la prensa pueden establecerse por decreto en caso de disturbios internos, y a veces prolongarse. Es muy conocido el caso de Chile de 1973 a 1988, pero igualmente pueden citarse Paraguay, Colombia, Guatemala, Argentina, El Salvador. Los organismos internacionales no gubernamentales (Amnistía Internacional, por ejemplo) denuncian la violación de las libertades individuales, la arbitrariedad de la policía, la tortura, las ejecuciones sumarísi-

---

[1] Jacques Lambert, Alain Gandolfi, *El sistema político de América Latina*, París, PUF, 1987.
[2] Estas páginas no tienen otro propósito que hacer comprender ciertos fenómenos; para situar los ejemplos propuestos en su contexto, habrá que remitirse a la cronología que figura en el anexo y a la bibliografía.

mas; la dictadura militar argentina (1976-1983) se «inventó» de esta forma la categoría de los «desaparecidos».

Como en Estados Unidos, el régimen presidencial, que otorga al presidente de la República durante su mandato grandes poderes, pareció el más indicado para prevenir eventuales tentaciones centrífugas; de hecho puede disimular dictaduras bajo formas constitucionales. Si, por ejemplo, muchas constituciones intentan limitar en el tiempo el poder presidencial prohibiendo la reelección, a menudo esta disposición es burlada por distintos medios. Así, en Venezuela, el general Juan Vicente Gómez, espécimen de caudillo llegado al poder tras un golpe de Estado en 1908, se hizo legitimar mediante una reforma constitucional en 1910 y conservó el poder hasta su muerte en 1935, dejando la apariencia de gobierno a los presidentes periódicamente elegidos. Del mismo modo, en México, Plutarco Calles, presidente de 1924 a 1928, conservó las riendas del poder hasta 1934, dominando el periodo llamado del «Maximato». Otros presidentes-dictadores prefirieron hacer prorrogar su mandato mediante sucesivas reformas constitucionales, votadas por parlamentos dóciles; fue el caso, entre otros, de Porfirio Díaz en México (1876-1910) y de Estrada Cabrera en Guatemala (1898-1920). Más recientemente, en Paraguay, el general Rodríguez, tras haber derrocado al general-dictador Stroessner, se hizo elegir presidente en 1989.

México es uno de los casos en que el doble juego de las apariencias democráticas y una realidad autoritaria se ha llevado a cabo con total éxito, ya que se mantiene desde hace sesenta años una estabilidad desconocida en el subcontinente. Este país dispone de todo el aparato pluralista de los sistemas representativos: cámaras, tribunales, partidos, sindicatos, prensa. Las elecciones tienen lugar con fecha fija y el presidente de la República, no reelegible, es elegido cada seis años. Sin embargo, determinadas prácticas específicas hacen del sistema mexicano lo que el escritor peruano Vargas Llosa denomina «una dictadura perfecta», la del Partido Revolucionario Institucional (PRI), omnipresente en todas las instancias. El presidente de la República procede de ese partido desde su creación en 1929; él es quien designa a su sucesor por medio del *dedazo*, y de hecho el candidato del PRI siempre ha sido elegido hasta ahora, haciendo así vana toda posibilidad real de opción para los electores entre los candidatos de otros partidos. De todas formas, el asesinato del candidato oficial poco antes de las elecciones de agosto de 1994 demuestra la pérdida de credibilidad del sistema.

Con todo, y en medio de una completa arbitrariedad, algunos «presidentes» surgidos de la fuerza han sido derrocados también por la fuerza en golpes de Estado o revoluciones; así Bolivia, desde su independencia en 1824 hasta las elecciones de 1989, ha tenido 74 presidentes, de los que la mitad han llegado al poder no a través de elecciones sino mediante la violencia. En este caso se trata de un «hombre fuerte», la mayoría de las veces un militar, quien reemplaza al presidente, elegido u «hombre fuerte» a su vez. Recientemente hemos asistido a originales puestas en escena: en Perú, en 1992, el mismo presidente electo, Fujimori, por medio de un autogolpe, disolvió las Cámaras, reforzando su poder personal, para enfrentarse al terrorismo, según sus declaraciones, y que fue imitado, en 1993, por el presidente Serrano de Guatemala. Sin embargo, este último no consiguió que se aceptara su golpe de fuerza y fue depuesto por el ejército poco después. Ciertos hechos recientes demuestran, sin embargo, que los mecanismos de control del poder presidencial continúan funcionando en algunos países; así fue como en Brasil a finales de 1992, y más tarde en Venezuela en 1993, los presidentes Collor y Pérez, acusados de corrupción, fueron obligados a dimitir.

El caso del PRI mexicano demuestra que los partidos políticos no pueden juzgar fácilmente su papel de agrupaciones representativas de las fuerzas sociales. La falta de cohesión y conciencia política, especialmente en el campo, ha hecho de los partidos latinoamericanos, hasta fecha reciente, grupos de presión o estructuras formales con programas fluctuantes o confusos. Ejemplo de ello es la Alianza Popular Revolucionaria Americana (APRA), que, fundada en Perú en 1930 sobre bases antiimperialistas e indigenistas, pronto abandonó esa orientación. Puede haber pactos de alternancia entre formaciones sin verdadera definición doctrinal y sin contacto con la realidad, como en Colombia entre 1958 y 1970, lo que impide una auténtica representación de las fuerzas sociales.

En un continente marcado por las desigualdades sociales, habría podido esperarse una movilización de los partidos de izquierdas. Pero la demonización de las ideologías reivindicativas del marxismo por la política norteamericana hace tiempo que ha condenado a los partidos comunistas, socialistas e incluso progresistas a la clandestinidad primero y luego a la marginación, provocando de hecho una polarización, como lo demuestra el derrocamiento del gobierno socialista de Chile en 1973 por un golpe militar. Por otra parte, el desarrollo de la izquierda latinoamericana ha sido frenado por los partidos populistas como el peronismo o justicialismo en Argentina y el getulismo en Brasil. En la coyuntura económica favorable de la Segunda Guerra Mundial, estos partidos, inspirados por el fascismo europeo, pudieron mejorar las condiciones de vida del proletariado urbano surgido con la industrialización. Pero esta fachada progresista ha servido a menudo al poder personal demagógico de dirigentes «carismáticos», como demuestra la trayectoria del general Perón, cuyo regreso a Argentina en medio de aclamaciones en 1972 preparó el terreno a la junta militar. Hoy, el presidente Menem, que se autoproclama peronista, ha puesto en marcha una política económica ultraliberal totalmente contraria al dirigismo y al nacionalismo que propugnaba Perón. Estas contradicciones son frecuentes: los partidos socialdemócratas —como Acción Democrática en Venezuela— llevan a cabo una política liberal; en Chile, el demócratacristiano Alwyn se ha aliado con el ex dictador Pinochet; en Bolivia, el Movimiento de la Izquierda Revolucionaria (MIR) se ha coaligado con el ex dictador Banzer.

Aparte de la falta de líneas ideológicas consistentes, estos partidos, en un continente en el que la cultura democrática es escasa, funcionan a menudo gracias a mecanismos de «clientelismo»: ciertos favores sirven para comprar votos y es muy común la práctica llamada en México *acarreo*, consistente en trasladar oficialmente al mitin para aclamar al candidato a todo un pueblo o al personal de una empresa. La fuerza de la costumbre, el prestigio de los *licenciados* y, llegado el caso, el fraude, son igualmente obstáculos para la libre expresión del sufragio. La frustración de la oposición no puede entonces manifestarse más que en la abstención o la violencia. Los sindicatos no son tampoco representativos de los trabajadores; en estos países de fuerte componente rural, aparecieron tarde con el desarrollo del proletariado industrial, en particular en los países del cono sur. Los populismos han sabido incorporarlos al Estado por medio de sus dirigentes, y utilizarlos: la Confederación General de Trabajadores fue un sostén fundamental para Perón, y la Confederación de Trabajadores Mexicanos (CTM) ha sido un elemento de estabilidad, como demuestra el reciente *Pacto Social* entre el gobierno y los trabajadores. También los sindicatos han sido a menudo privados de autonomía real. Sin embargo, pueden convertirse en grupos de presión; así la poderosa Central Obrera Boliviana (COB), sindicato de los mineros del estaño, que representa una élite obrera en un país rural como Bolivia, ha podido contribuir a la inestabilidad del país por su «maximalismo».

La prensa, el «cuarto poder», no puede desempeñar su función más que en ausencia de coacción. También los enemigos de la democracia han utilizado haciendo de ella un instrumento de poder —el papel que jugó el periódico *El Mercurio* en la toma del poder por la junta en Chile en 1973 es de sobra conocido— o privándola de la libertad de informar. Cuba tiene una prensa monolítica, y en todas partes la televisión, en gran medida tributaria de la empresa privada y de los monopolios extranjeros, está en lo esencial subordinada a los poderes establecidos. Además de los casos de desinformación, censura, corrupción de periodistas, condenas y cierre de periódicos, son numerosas las agresiones, a veces mortales, contra los periodistas independientes, sobre todo en Colombia, Guatemala, Perú, Paraguay, Haití e incluso en un país tan pluralista como México.

3.2. Poderes de hecho

La incapacidad de los poderes constitucionales, representantes del cuerpo social, para resolver los problemas reales de sus electores, reduce muchas veces su legitimidad a mera apariencia. En caso de radicalización de los conflictos sociales, el Estado, contestado, privado del apoyo del pueblo, no puede hacer frente a una situación de insurrección.

El ejército, cuya misión es la defensa de la soberanía nacional frente al exterior, puede ser llamado para impedir la desestabilización y el cambio social o atribuirse él mismo esta función para mantener el orden. A pesar de los conflictos fronterizos, los Estados latinoamericanos se arriesgan poco a guerras internacionales, si exceptuamos, en la segunda mitad del siglo XX, la guerra entre El Salvador y Honduras en 1969, y, en 1982, la guerra de las Malvinas entre Argentina y Gran Bretaña. Pero esta paz exterior contrasta con las numerosísimas acciones militares internas que han causado, por ejemplo, 150.000 muertos en los años 80 en América Central, sobre todo en El Salvador y Guatemala. Estas actuaciones internas del ejército explican que, en muchos países, los gastos en armamento hayan superado hace tiempo los gastos en salud y educación; en 1985, en el momento más grave de la crisis de la deuda, América Latina habría dedicado cerca de 11.000 millones de dólares a defensa y poco más de 8.000 millones a salud y educación. Esto sigue siendo cierto para algunos países en 1991 (El Salvador, Nicaragua, Bolivia), pero la tendencia general se ha invertido, según los datos oficiales.

Cuando la situación interior es especialmente inestable y amenaza los intereses establecidos, el ejército llega incluso a sustituir al poder de derecho para asegurar el *statu quo*; en 1980, dos tercios de la población latinoamericana vivían bajo regímenes militares, y si, poco a poco, el ejército ha vuelto a los cuarteles, en muchos de los países del subcontinente —Paraguay, Guatemala, El Salvador— continúa a la sombra del poder civil. En algunos países, como México, Venezuela y Costa Rica, se ha mantenido tradicionalmente en la retaguardia del juego político.

El ejército profesional de la actualidad, formado entre finales del siglo XIX y principios del XX por misiones francesas y alemanas, tiene poco que ver con los *caudillos* de ámbito local que surgieron espontáneamente en las luchas por la independencia y que llenan la historia del siglo XIX. Este tipo de «hombres fuertes», que ejercían un poder personal, se ha podido perpetuar en países especialmente arcaicos; así el general Stroessner, dictador de Paraguay de 1954 a 1989. Los pequeños países caribeños como Cuba, Haití, Nicaragua y la República Dominicana fueron provistos por Estados Unidos, a comienzos de este siglo, de «guardias nacionales», encargadas de velar por la estabilidad de una región de especial interés para el gran vecino, y en algunos casos sus comandantes —Trujillo en la República Dominicana, Somoza en Nicaragua— utilizaron la fuerza de esos ejércitos para apoderarse del gobierno y mantenerse en él.

Pero el poder personal se difumina detrás de la institución militar cuando ésta se transforma —como con la guerra fría y la revolución cubana— en un instrumento policiaco y de control. La doctrina de la «seguridad nacional» se ha convertido en salvaguardia del orden y del *statu quo* contra la subversión «marxista» en el subcontinente; 50.000 oficiales latinoamericanos se formaron en la escuela militar norteamericana de Panamá y, de 1962 a 1967, los militares derrocaron nueve gobiernos civiles juzgados demasiado moderados para prevenir el peligro de subversión. En Brasil, por ejemplo, el ejército derribó al presidente Goulart en 1964 y conservó las riendas del poder hasta 1982, y de esta forma pudo eliminar durante mucho tiempo las fuerzas democráticas y sindicales. Sin embargo, los militares que se hicieron con el poder entre 1968 y 1972 en Perú, Panamá, Ecuador, Honduras y Bolivia, prefirieron la vía nacionalista y reformista a los métodos represivos. Provenientes en general de la clase media, los militares se esforzaron por prevenir situaciones revolucionarias a través de una política progresista, y en sus programas y realizaciones se incluyen reformas agrarias y recuperación de riquezas nacionales; fue el caso de Perú de 1968 a 1975. El general Torrijos, «hombre fuerte» de Panamá, que derribó al gobierno civil en 1968, firmó en 1977 con el presidente Carter de Estados Unidos un tratado que reconocía la soberanía de su país sobre la zona del canal y preveía la restitución en el año 2000 (la intervención norteamericana de 1989, ¿ha puesto en entredicho este tratado?).

La época de este militarismo progresista fue de corta duración y, paradójicamente, en los países del cono sur que se creía más democráticos fue donde aparecieron juntas contrarrevolucionarias, con métodos represivos desconocidos hasta entonces, para derrocar a un gobierno socialista legítimamente elegido en Chile (1973) o para extirpar movimientos guerrilleros en Uruguay y Argentina (1973 y 1976). A partir de 1979 los militares latinoamericanos, incapaces de resolver la crisis económica y desacreditados por su barbarie e incompetencia —incluida la militar en lo que se refiere al ejército de Argentina, vencido en la guerra de las Malvinas—, han devuelto paulatinamente el poder a gobiernos civiles elegidos, dejando graves secuelas en unas sociedades traumatizadas.

Sin embargo, grandes capas de la sociedad permanecen excluidas del nuevo despegue económico y del funcionamiento de la democracia, amenazando a los gobiernos latinoamericanos con nuevos golpes militares, como demuestran las tentativas de golpe en 1992 en Venezuela, a pesar de la tradición democrática de ese país. La debilidad de los estados y la precariedad del sistema representativo abren de este modo el camino a poderes paralelos que los invaden, como las mafias de la droga, que se han infiltrado en los engranajes de numerosos estados desde los años 70, y especialmente en Colombia, laboratorio de la cocaína. El cartel de Medellín, bajo la autoridad del *capo* Pablo Escobar, y después, tras su «acoso» y muerte, el cartel de Cali, mantienen una abierta confrontación con el Estado colombiano, en cuyos circuitos políticos, administrativos y económicos se han enquistado: tráfico de droga, tráfico de armas, contrabando. Luego de un periodo de tolerancia por parte del poder infiltrado con sus narcodólares, se ha pasado a partir de 1984 a una fase de violencia exacerbada; los atentados han producido 10.000 muertos al año entre la población civil —policías, periodistas, magistrados y políticos, entre ellos tres candidatos a la presidencia de la República—, a menudo víctimas de los «sicarios», jóvenes asesinos a sueldo reclutados en los barrios de chabolas. Estas mafias se han convertido así en verdaderos poderes frente a la decadencia del Estado y a la degradación de los valores morales, y numerosos políticos han sido acusados de estar vinculados al tráfico de droga, como el general Stroessner en Paraguay y los militares bolivianos.

Además, la necesidad por parte de los productores y traficantes de droga de librarse de las autoridades, y sobre todo de la Agencia contra la Droga de Estados Unidos (DEA), mucho más temible que la justicia del país, a veces cómplice o susceptible de corrupción, ha llevado a la creación de milicias privadas que, desafiando a las autoridades, imponen su ley en inmensas regiones. Pueden aliarse con el ejército o grupos paramilitares de extrema derecha. También el control de las zonas rurales de producción acarrea la colusión del narcotráfico con la guerrilla; así, en Perú, el narcotráfico aprovisiona de armas a la guerrilla de Sendero Luminoso gracias a sus narcodólares, a cambio de la protección que recibe de aquélla. El tráfico de droga, además de sus efectos sociales y económicos, contribuye así a la descomposición del poder de derecho.

4. Contrapoderes

La voluntad de la mayoría difícilmente puede expresarse a través de las vías legales de la democracia representativa, siempre expuesta a las injerencias de los poderes fácticos. Esta frustración puede desembocar en una radicalización política que no encuentra otra salida que la violencia. Frente a las injusticias, el terrorismo de Estado y los poderes paralelos, se contrapone la violencia de los sectores marginados, que va del saqueo de tiendas o disturbios a la guerrilla.

4.1. Los movimientos guerrilleros

La guerra fría y la doctrina de la «seguridad nacional», que han reprimido con dureza los movimientos marxistas o simplemente de izquierdas, los han condenado a la clandestinidad, lo que, en último término, ha generado la subversión.

La victoria de los guerrilleros de Sierra Maestra en Cuba, en 1959, sobre la dictadura, los logros de su revolución en los años 60 —reforma agraria, recuperación de los bienes de la nación, educación, sanidad—, se produjeron en una de las regiones donde la violencia de la explotación y de la injusticia era agudísima; las represalias económicas y militares de los norteamericanos empujaron a Cuba al campo socialista y su dirigente, Fidel Castro, no supo armonizar las libertades democráticas y la justicia social lo que, después de la desintegración de la Unión Soviética, ha llevado a la isla a un aislamiento diplomático y económico que plantea graves interrogantes para el futuro.

Con todo, la revolución cubana ha alimentado las esperanzas de la izquierda latinoamericana, que creyó poder importar el modelo del *foco* revolucionario, que supuestamente debería extenderse gracias a la insurrección campesina. En los años 60, la guerrilla rural estuvo activa en numerosos países, en especial Colombia, Perú y Bolivia. La muerte de su teórico, Ernesto Guevara, el Che, en la guerrilla boliviana en 1967, fue el comienzo del fracaso de esta estrategia, y la guerrilla se desplazó de las zonas rurales a los centros urbanos, sobre todo en América del Sur. El bajo nivel de vida, el autoritarismo y la pérdida de las libertades democráticas empujaron a las clases medias, intelectuales y estudiantes a la clandestinidad. En Brasil, la juventud se propuso derrocar al régimen militar que había tomado el poder en 1964; en Argentina, los *montoneros*, frustrados tras el desastroso regreso de Perón, se rebelaron contra sus sucesores; en Uruguay, los *tupamaros* desestabilizaron la alianza entre el gobierno y el ejército. Pero a la «espiral de la violencia» se respondió con una represión aún mayor; en el cono sur, la época sombría de las dictaduras militares aplastó durante mucho tiempo los movimientos armados y las voces contestatarias.

La victoria de la revolución sandinista[3] en Nicaragua, en

---

[3] Se denomina así por el nombre del patriota nicaragüense Augusto Sandino, que luchó contra la ocupación norteamericana a finales de los años 20.

1979, dio un nuevo impulso a los movimientos guerrilleros en América Central.

• En El Salvador, donde los desequilibrios socioeconómicos son muy extremados, la polarización se acentuó, en 1980, después del asesinato, a manos de la extrema derecha, del arzobispo de San Salvador, monseñor Romero, defensor de la justicia social. Los enfrentamientos entre los «escuadrones de la muerte» del ejército y la guerrilla del Frente Farabundo Martí [4] de Liberación Nacional (FMLN) se convirtió en guerra civil. En 1985, la guerrilla controlaba casi la cuarta parte de un país devastado por la violencia: 80.000 muertos, entre los que se encuentran seis jesuitas españoles asesinados por miembros del ejército en 1989. El relativo equilibrio de las fuerzas creó las condiciones para una negociación que finalizó en 1992; las reformas previstas y la reintegración del FMLN en la vida política permiten abrigar esperanzas en un porvenir de paz.

• En cambio, en Guatemala el conflicto sigue latente; las reivindicaciones étnicas de la Unión Revolucionaria Nacional Guatemalteca (URNG) —la guerrilla más antigua del subcontinente en lucha contra los gobiernos militarizados— ocasionaron, en los años 80, un verdadero genocidio entre los indígenas acusados de servirle de base, lo que provocó un éxodo masivo hacia México. El restablecimiento de un régimen civil, en 1986, permitió la apertura de negociaciones, pero fracasaron en el momento en que

el golpe de fuerza, seguido de la destitución del presidente Serrano en 1993, ha puesto de nuevo en peligro las instituciones.

La guerrilla sigue también activa en los países andinos:

• En Colombia, la aparición del M19 está ligada a la falta de espacios de expresión a causa del bipartidismo y la alternancia, sobre un fondo de luchas campesinas por la tierra; su denominación, Movimiento 19 de abril, recuerda que en esa fecha, en 1970, el fraude impidió el libre desarrollo de las elecciones. El M19 practica una estrategia urbana comparable a la de las guerrillas uruguayas y argentinas; por ejemplo, en 1985 consiguió capturar como rehenes a los miembros del Tribunal Supremo. Varias tentativas de negociación entre el gobierno y la guerrilla fracasaron hasta la reintegración del M19 en la vida política, en 1989; su jefe fue incluso candidato a la presidencia de la República, antes de ser asesinado por los narcotraficantes. De hecho, como se ha visto, puede haber colusión entre los carteles y los grupos guerrilleros que permanecen en la clandestinidad (Fuerzas Armadas Revolucionarias de Colombia: FARC; Ejército de Liberación Nacional: ELN), lo que mantiene a Colombia en una situación de violencia intermitente y amenaza el Estado de derecho.

• Pero es Perú el que se enfrenta al problema más grave en este aspecto, ya que Sendero Luminoso y el Movimiento Revolucionario Tupac Amaru [5] han controlado una parte del

---

[4] Farabundo Martí, símbolo de las luchas del pueblo en El Salvador, fue secretario general del partido comunista e intentó, en 1932, una sublevación campesina que fue aplastada.
[5] Proviene del nombre de un cacique indígena, jefe de una de las más importantes revueltas de la época colonial (1780-1781); los tupamaros uruguayos tomaron también de él su nombre.

país mediante métodos terroristas que representan un desafío a la existencia misma del Estado. Sendero Luminoso, cuyo nombre hace referencia a su ideología maoísta, nació en medios universitarios, como testimonia el itinerario de su jefe, Abimael Guzmán, apodado *Presidente Gonzalo* (detenido en 1992, sin que las actividades de su grupo hayan cesado). Favorecido por la ausencia de integración étnica del país, Sendero Luminoso se ha infiltrado en el campesinado más pobre gracias a un discurso mesiánico. Los campesinos se han encontrado en medio del fuego cruzado del terrorismo guerrillero y de la represión militar, en una contienda que ha causado más de 18.000 muertos en los años 80. Después de 1985, Sendero Luminoso se ha desarrollado lo suficiente como para amenazar Lima, la capital, donde ha intentado destruir las estructuras del Estado poniendo obstáculos al funcionamiento de las instituciones —por ejemplo, en las elecciones—. Esta estrategia, que intenta desarrollar la espiral de la violencia para así desacreditar mejor al Estado, escoge como blanco todos los referentes sociales que sirven de valedores a los desposeídos —líderes de movimientos populares, representantes de la Iglesia o de organizaciones no gubernamentales.

No obstante, frente a los contrapoderes que se dedican a desestructurar el Estado para ejercer presión sobre él o para destruirlo, otros contrapoderes buscan recrear estructuras paralelas, donde pueden expresarse las frustraciones y las reivindicaciones.

4.2. Las Iglesias

La Iglesia Católica es la principal fuerza capaz de canalizar las voces de oposición que no pueden expresarse en sistemas representativos adulterados. De un lado porque en el mundo, uno de cada dos católicos es latinoamericano; de otro, porque ninguna institución dispone de la autoridad moral y de la representatividad que hacen de ciertas corrientes o de ciertos miembros del clero interlocutores políticos válidos.

Sin embargo, desde hace mucho tiempo, la Iglesia ha sostenido regímenes muy conservadores, y esta tendencia no ha desaparecido. Pero el Concilio Vaticano II (1962-1965), poco posterior a la revolución cubana, se adhirió a la tendencia reformista que intentaba atajar la ola revolucionaria. Ciertos miembros de la jerarquía, como Dom Hélder Cámara, obispo brasileño, al tomar conciencia de la situación de las masas, llegaron a pensar que la salvación de las almas pasaba por la atención a las necesidades elementales. Hubo sacerdotes que se integraron en los grupos insurgentes, como Camilo Torres, que murió en la guerrilla colombiana en 1966. Con la Segunda Conferencia Episcopal Latinoamericana (CELAM) de Medellín en 1968, se constituyó formalmente el embrión de lo que ha llegado a ser la teología de la liberación. Esta corriente progresista de la Iglesia no ha dudado en intervenir en la esfera política. Combatió la dictadura en Brasil, desde 1964, y luego en el cono sur formó una importante plataforma de oposición al régimen de Pinochet en Chile y jugó un papel decisivo en la caída de Duvalier en Haití; en Nicaragua, se comprometió en el campo sandinista, y dos sacerdotes entraron a formar parte del gobierno. Considerados como subversivos, son muchos los sacerdotes comprometidos en las luchas populares que han sido víctimas de las milicias de extrema derecha, desde el arzobispo de El Salvador a anónimos defensores de los campesinos sin tierra. Pues la teología de la liberación también se propone una misión social, a través de la creación de centros de solidaridad que son las «comunidades eclesiales de base»; estas reuniones de fieles practican la dirección espiritual, pero al mismo tiempo se ponen en contacto directo con la realidad social cotidiana, sea el expolio de tierras o los problemas de equipamiento colectivos... Es notable su pujanza en algunos países, como en Brasil, que en 1982 contaba con 60.000 comunidades, con un millón y medio de miembros.

Pero la teología de la liberación muy pronto fue blanco de los ataques de los medios conservadores, de la Iglesia latinoamericana y del Vaticano. Paralelamente, la ofensiva de las iglesias evangélicas y de las sectas disputa el terreno a la Iglesia Católica, especialmente en Brasil, Bolivia, Colombia, Chile y, sobre todo, en Guatemala; en este último país, más de la cuarta parte de la población, y significativamente el presidente elegido Serrano —recientemente destituido—, pertenece a la Iglesia Evangelista. En Perú, la candidatura del presidente Fujimori fue apoyada activamente por los evangelistas. Si no se pone en duda su papel político, existen discrepancias en la interpretación del fenómeno. Para algunos observadores, estas iglesias, que a menudo proceden de Estados Unidos, tienden a importar, con los modelos culturales norteamericanos, una línea netamente conservadora; para otros, ocupan el vacío creado por el neoliberalismo y la descomposición de los estados en las zonas marginadas —áreas rurales y barrios de chabolas—, donde, actuando sobre la afectividad por medio de la música y la gestualidad, recrean un vínculo comunitario.

Ante estos desafíos, la celebración en Santo Domingo, en octubre de 1992, del quinto centenario del comienzo de la evangelización fue la ocasión para que el Papa y la jerarquía predicasen una «nueva evangelización» que podría significar una vuelta a la ortodoxia.

4.3. La sociedad civil

Al lado de estas estructuras ligadas al ámbito religioso, van surgiendo asociaciones laicas empeñadas en la lucha por los derechos del hombre y por la justicia. Sus fuerzas suelen ser precarias; cientos de estudiantes mexicanos pagaron con su vida en 1968, en la plaza de las Tres Culturas de México, sus demandas democráticas. Por todas partes los colectivos se movilizan: las Madres de la Plaza de Mayo, madres y abuelas de «desaparecidos», no han sido ajenas a la caída de la junta militar de Argentina; las víctimas del terremoto de 1985 en México hicieron tambalear en sus cimientos al PRI en las elecciones de 1988; las organizaciones indias son un testimonio en el mismo sentido. Estos diversos movimientos populares, ¿anuncian una conciencia generalizada en favor de una democracia auténtica?

CONCLUSIÓN

Al final de este recorrido, cabe afirmar que la expresión América Latina engloba una multiplicidad de situaciones, pero también muchos aspectos comunes a los veinte países que la componen.

Al ingresar con gran retraso en la comunidad de naciones, la América llamada latina, para integrarse plenamente, tuvo que superar obstáculos que provenían, en parte, de su pasado colonial. Su prolongada dependencia económica ha creado desequilibrios sociales que obstaculizan el libre juego de las instituciones democráticas, blanco de contradictorias oleadas de violencia.

No obstante, el subcontinente americano dispone aparentemente de más bazas que otras zonas de lo que se llama «Tercer Mundo»; su diversidad geográfica lo convierte en una región rica en productos especialmente codiciados; la historia de sus habitantes —en los que el elemento latino no es más que un componente entre otros— ha generado una riqueza humana y cultural cuyas expresiones artísticas son la mejor muestra. Pero, al compartir la severa crisis que padece el mundo occidental al que unió su destino, América Latina ha respondido alineándose en el liberalismo económico. Esta opción, que agrava las profundas tensiones sociales, ¿podrá garantizar la estabilidad de la democracia recientemente recuperada?

Después de la caída de los regímenes socialistas, es cierto que América Latina ya no está en juego en la guerra de los «bloques», y Cuba es una simple excepción gravemente amenazada; pero la influencia de Estados Unidos sigue siendo muy fuerte en todos los niveles, aunque el quinto centenario de 1492 ha sido la ocasión para un acercamiento entre los estados latinoamericanos y sus antiguas metrópolis, emparentados por una comunidad de cultura. En una coyuntura preocupante, ¿encontrará América Latina sus propias vías de desarrollo? Porque, como dijo el presidente mexicano Salinas de Gortari: «Ni la democracia ni la soberanía nacional florecen en medio de la pobreza»[1].

---

[1] *El País*, «La Cumbre del V Centenario», 23-7-1992.

ANEXOS

Anexo 2

CRONOLOGÍA

1492: Cristóbal Colón llega a la futura América.

1822: Dom Pedro proclama la independencia de Brasil.

1823: «Doctrina» Monroe.

1824: La victoria de Ayacucho libera al continente del dominio español.

1826: Fracaso del Congreso de Panamá y del intento de unidad Continental.

1889: Conferencia Panamericana de Washington.

1895-1902: Guerra de la Independencia de Cuba. Tratado de París y «Enmienda Platt».

1903: Creación del Estado de Panamá (1914: inauguración del canal).

1910-1917: Revolución mexicana.

1926-1933: Revolución Nacionalista de Augusto Sandino en Nicaragua.

1931: Revueltas campesinas en El Salvador.

1932-1935: Guerra del Chaco entre Bolivia y Paraguay.

1937: Golpe de Estado de Getulio Vargas en Brasil: *O Estado Novo*.

1938: En México, el presidente Cárdenas nacionaliza el petróleo.

1943: En Argentina, un golpe de Estado lleva al poder al general Perón y al justicialismo.

1948: Comienzo de la «Violencia» en Colombia. Nace la Organización de Estados Americanos (OEA).

1952: En Bolivia, el Movimiento Nacionalista Revolucionario (MNR) emprende reformas estructurales.

1954: En Guatemala, es derribado el gobierno reformista de Arbenz.

1953-1959: En Cuba, la revolución derriba a Batista, y después pone en marcha un programa de reformas estructurales y de expropiaciones.

1961: Alianza para el Progreso del presidente Kennedy para atajar las revoluciones.

1962: Caso de los cohetes en Cuba. En Uruguay, se forman los tupamaros.

1964: Los militares brasileños deponen al presidente Goulart.

1963-1965: Intervención en la República Dominicana.

1968: Conferencia Episcopal de Medellín. En Perú, la junta progresista del general Velasco Alvarado. En México, masacre de estudiantes en la plaza de las Tres Culturas.

1969: En Panamá, Omar Torrijos emprende una política nacionalista. «Guerra del Fútbol» entre El Salvador y Honduras.

1970: En Chile, gobierno de la Unidad Popular de Salvador Allende. En Uruguay, comienzo de la represión contra los tupamaros.

1972: En Ecuador, junta militar nacionalista.

1973: Golpe de Estado militar en Chile. En Uruguay, disolución del Parlamento.

1974: En Colombia se forma la guerrilla M19. Represión en Argentina.

1976: Golpes de Estado militares en Argentina y Uruguay.

1978-1979: En Nicaragua, movilización contra la dictadura y caída de Somoza.

1980: Aparece la guerrilla de Sendero Luminoso en Perú. En San Salvador, asesinato del arzobispo Romero por la extrema derecha.

1981: Fracaso de la sublevación del FMLN en El Salvador.

1982: Guerra de las Malvinas y caída del régimen militar en Argentina. En Guatemala, represión antiguerrilla del presidente Ríos Montt.

1983: Se intensifica el terrorismo de Sendero Luminoso en Perú. Los militares uruguayos abandonan el poder.

1985: Regreso de los militares brasileños a sus cuarteles. Terremoto en México.

1986: Apoyo norteamericano a la Contra antisandinista en Nicaragua.

1987: Acuerdos de Paz de Esquipulas para América Central.

1988: En Chile, el general Pinochet es rechazado mediante un referéndum.

1989: Fracaso de la sublevación salvadoreña. Intervención norteamericana en Panamá. En Paraguay, el general Rodríguez depone al general Stroessner.

1990: En Nicaragua, los sandinistas pierden las elecciones.

1992: *Autogolpe* del presidente Fujimori en Perú. En Brasil, destitución del presidente Collor, acusado de corrupción. En El Salvador, negociaciones entre la guerrilla y el gobierno.

1993: En Venezuela, destitución del presidente Pérez, acusado de corrupción. En Guatemala, *autogolpe* y luego destitución del presidente Serrano. Elecciones en Paraguay. Escasez en Cuba al cesar sus exportaciones de azúcar.

1994: En México, sublevación en Chiapas y asesinato del candidato presidencial.

Anexo 3

CUADROS

Cuadro 1: Datos demográficos

País	Población en millones	Densidad por km²	Menores de 15 años en millones	Menores de 15 años en %
Haití	6,62	238,6	1,77	45,8
Nicaragua	3,87	29,7	1,77	45,8
República Dominicana	7,17	148	2,71	38
Guatemala	9,21	84,4	4,18	45
Bolivia	7,33	6,6	2,97	40
Honduras	5,14	45,8	2,29	44,5
Perú	22,33	17,3	8,11	36
El Salvador	5,25	249,6	2,33	44
Ecuador	10,58	37,3	4,18	39,5

Cuadro 1: Datos demográficos (continuación)

Paraguay	4,27	10,5	1,73	40
Colombia	32,97	28,8	11,89	36
Cuba	10,6	92,6	2,41	23
Costa Rica	3,01	59	1,09	36
Panamá	2,41	31,3	0,84	35
México	88,59	45,2	32,96	37
Brasil	150,37	17,6	52,98	35
Chile	13,17	17,4	4,03	30
Argentina	32,32	11,5	9,67	30
Uruguay	3,09	17,4	0,79	25,7
Venezuela	19,73	21,5	7,55	38
Total	438			

Fuente: *Anuario Iberoamericano 1992* (para Haití: *Estado del Mundo 1993*). Datos para el año 1990. Los países están clasificados por orden decreciente del PIB.

Cuadro 2: Datos demográficos

País	Crecimiento demográfico	Natalidad 1.000	Mortalidad 1.000	Fecundidad	Mortalidad infantil / 1.000	Esperanza de vida (edad)
Haití	2			4,8	86	57
Nicaragua	3,2	41,8	8	5,5	61,7	62,3
Rep. Dominicana	2,2	31,3	6,8	3,8	65	65,9
Guatemala	2,9	40,8	8,9	5,8	58,7	62
Bolivia	2,8	42,9	14,1	6,1	109,9	53,1
Honduras	3,2	39,8	8,1	5,6	68,4	64
Perú	2,5	34,3	9,2	5,2	88,2	61,4
El Salvador	1,9	36,3	8,4	4,9	57,4	62,5
Ecuador	2,8	35,4	7,6	4,7	63,4	65,4
Paraguay	2,9	34,9	6,6	4,6	48,9	68,9

Cuadro 2: Datos demográficos (continuación)

Colombia	2,1	29,2	7,4	3,6	48,6	64,8
Cuba		18,2	6,7	2	20,9	74
Costa Rica	2,6	28,3	4	3,3	19,4	74,7
Panamá	2,1	26,7	5,2	3,1	22,7	72,1
México	2,2	29	5,8	3,6	42,6	68,9
Brasil	2,1	28,6	7,9	3,5	63,2	64,9
Chile	1,6	23,8	6,4	2,7	18,1	71,5
Argentina	1,3	21,4	8,6	3	32,2	70,6
Uruguay	0,8	18,9	10,2	2,6	34	71
Venezuela	2,6	30,7	5,4	3,8	35,9	69,7
España		10,6	8,1	1,3	10	76,3
Estados Unidos	1	16,2	8,7	1,8	9,7	77,5

Fuente: *Anuario Iberoamericano 1992* (para Haití: *Estado del Mundo 1993*). Datos para 1985-1990. Las cifras para España y Estados Unidos se dan a título de comparación. Los países están clasificados por orden decreciente del PIB. Los datos de natalidad se refieren al número de hijos por mujer en edad de procrear.

Cuadro 3: Lenguas amerindias.
Número de personas que las hablan (1974)

País	Lenguas	Número de personas
Paraguay	Guaraní	2.469.000
Bolivia	Aymara	1.750.000
	Quechua	1.500.000
Guatemala	Quiché (maya)	500.000
	Kaktchikel	350.000
	Kekchi	350.000
	Mam	340.000
Perú	Quechua	1.200.000
	Aymara	500.000
Ecuador	Quechua	1.200.000
México	Náhualt	1.200.000
	Maya	475.000
Argentina	Quechua	300.000
Chile	Mapuche	250.000
Colombia	Guajiro	100.000
Honduras	Caub	35.000
Nicaragua	Miskito	50.000
Venezuela	Warao	15.000

Fuente: *Las grandes lenguas escritas del mundo* (1978), Kloss y Mac Connel, citados en *Mil millones de latinos en el año 2 000* (estudio de demografía lingüística bajo la dirección de Ph. Rossillon, París, L'Harmattan / Union Latine, 1983).

Cuadro 4: Datos económicos

País	PIB/hab. en $	Agricultura	EPA Industria y minas (%)	Servicios	Crecimiento PIB/hab. 80-89
Haití	370	—	—	—	—
Nicaragua	695	46,6	15,8	37,7	−40,8
República Dominicana	713	45,7	15,5	38,9	−2,2
Guatemala	827	56,9	17,1	26,1	−1,8
Bolivia	903	45,5	19,7	33,9	−23,2
Honduras	917	60,4	16,2	23,4	−14,2
Perú	1.194	40,1	18,3	41,7	−30,2
El Salvador	1.256	43,2	19,4	37,5	−15,3
Ecuador	1.263	38,6	19,9	41,6	−4,6
Paraguay	1.398	48,6	20,6	30,9	0,4
Colombia	1.444	34,3	23,5	42,2	16,2

Cuadro 4: Datos económicos (continuación)

Cuba	1.561	23,8	28,5	47,7	—
Costa Rica	1.630	30,8	23,2	46,1	−5
Panamá	1.908	31,8	18,2	50,2	−18,3
México	1.945	36,6	29	34,4	−8,4
Brasil	2.280	31,2	26,6	42,3	−5,5
Chile	2.615	16,5	25,2	58,4	9,2
Argentina	2.689	13	33,8	53,2	−24,3
Uruguay	2.907	18,8	29,2	55,1	−6,7
Venezuela	3.038	16,1	28,4	55,6	−19,9
España	12.610	12	30,8	57,2	23,5
Estados Unidos	21.806	2,8	31,5	65,7	38,4

Fuente: *Anuario Iberoamericano 1992*. Cifras para 1990.

Cuadro 5: Datos sociológicos

País	Presupuesto de educación (% PIB)	Analfabetismo 15 años y más (%)	Presupuesto de salud (% PIB)	Personas por médico	Camas de hospital por cada 1.000 hab.	Periódicos por cada 1.000 hab.
Haití	1,8	47	—	—	—	—
Nicaragua	1,9	23	4,5	1.745	1,2	38
República Dominicana	1,6	16,7	1	1.613	1,2	43
Guatemala	1,4	44,9	1	1.929	0,9	28
Bolivia	2,5	22,5	0,2	1.748	1,4	47
Honduras	4,5	26,9	2,2	1.695	0,8	25
Perú	2,7	14,9	1	997	1,5	42,3
El Salvador	2,1	27	1,2	3.220	1,1	62
Ecuador	1,1	14,2	1,1	939	1,7	51
Paraguay	1	9,9	0,5	1.007	1,3	47

Cuadro 5: Datos sociológicos (continuación)

Colombia	2,3	13,3	3,5	1.094	1,4	45,1
Cuba	6,4	6	—	333	7,2	99
Costa Rica	4,5	7,2	5,7	819	2,2	86,5
Panamá	5,6	11,9	1,9	839	3,2	55
México	2	12,7	0,3	979	1,1	120
Brasil	1,5	18,9	3,6	801	2,8	62
Chile	2,6	6,6	2,4	2.383	3,3	120
Argentina	1,7	4,7	0,6	376	5,3	85
Uruguay	3	3,8	1,2	357	4,6	171
Venezuela	4,5	4,7	2	590	2,5	186
España	3,4	4,2	5,1	275	4,5	86
Estados Unidos	4,1	—	11,1	420	5	251

Fuente: *Anuario Iberoamericano 1992* (para Haití: *Estado del Mundo 1993*). Según los casos, estas cifras corresponden a los años 1986 a 1991.

BIBLIOGRAFÍA

Generalidades

CHEVALIER, François, *América Latina de la independencia a nuestros días*, Labor, Barcelona, 1983.

MORINIGO, Marcos A., *Diccionario de Americanismos*, Muchnick, Buenos Aires, 1966.

Diccionario Temático Abreviado Iberoamericano, J. R. Castillejo, Sevilla.

GALEANO, Eduardo, *Las venas abiertas de América Latina*, Siglo XXI, México, 1980. A pesar de su toma de partido militante y apasionada, esta obra hace un útil análisis sobre la dependencia neocolonial de América Latina.

HELPERIN DONGHI, Tulio, *Historia Contemporánea de América Latina*, Alianza, México, 1987.

HERNÁNDEZ SÁNCHEZ BARBA, Mario, *Iberoamérica en el siglo XX, dictaduras y revoluciones*, Anaya, Madrid, 1988.

Nuestro Mundo 1985-1986, Agencia EFE / Espasa Calpe, Madrid. Obra de una agencia de prensa, este voluminoso anuario es una mina de información.

WALDMANN, Peter, *América Latina, Síntesis Histórica, Política, Económica y Cultural*, Herder, Barcelona, 1984.

L'État du Monde, anuario económico y geopolítico mundial, Akal, Madrid.

ALCÁNTARA SÁEZ, Manuel, *Sistemas políticos de América Latina* (2 vols.), Tecnos, Madrid, 1989-1990.

ALCINA F. RANCH, José (compilador), *Indianismo e indigenismo en América*, Alianza, Madrid, 1990.

América Latina en su literatura (coord. e introducción de C. Fernández Moreno), Siglo XXI / Unesco, México, París, 1978.

América Latina en sus ideas, Unesco / Siglo XXI, México, 1986.

América Latina / Estados Unidos: evolución de las relaciones económicas (1984-1985), Siglo XXI, México, 1986.

BARRE, Marie-Chantal, *Ideologías indigenistas y movimientos indios*, Siglo XXI, México, 1983.

CARDOSO, Ciro F. S., y PÉREZ BRIGNOLI, Héctor, *Historia económica de América Latina* (2 vols.), Crítica, Barcelona, 1979.

CONCHA MALO, Miguel, y otros, *La participación de los cristianos en el proceso popular de liberación en México*, Siglo XXI, México, 1986.

CUEVA, Agustín, *Las democracias restringidas de América Latina*, Planeta, Quito, 1988.

DEGREGORI, Carlos Iván, *El surgimiento de Sendero Luminoso*, Instituto de Estudios Peruanos, Lima, 1991.

DRIANT, J. C., *Las Barriadas de Lima*, IFEA / DESCO, Lima, 1991.

GONZÁLEZ CASANOVA, Pablo (coord.), *El Estado de América Latina. Teoría y práctica*, Siglo XXI / Universidad de las Naciones Unidas, México, Tokio, 1990.

GONZÁLEZ CASANOVA, Pablo (coord.), *Historia del movimiento obrero en América Latina*, Siglo XXI, México, 1984.

MELGAR BAO, Ricardo, *El movimiento obrero latinoamericano*, Alianza, Madrid, 1988.

MEYER, Lorenzo, y REYNA, José Luis (coord.), *Los sistemas políticos en América Latina*, Siglo XXI, México, 1989.

ROJAS-MIX, Miguel, *Los cien nombres de América*, Lumen, Barcelona, 1991.

Sistemas electorales y representaciones políticas en Latinoamérica, Instituto de Cooperación Iberoamericana (2 vols.), Madrid, 1986.

Revistas

Anuario Iberoamericano, Agencia EFE (hay de los años 90, 91, 92), Madrid.

Cuadernos americanos, Libros de México, México.

Informe Latinoamericano (Latin American Newsletters), Londres (sobre todo, perspectiva comercial).

Latinoamérica. Anuario de Estudios Latinoamericanos, UNAM, México.